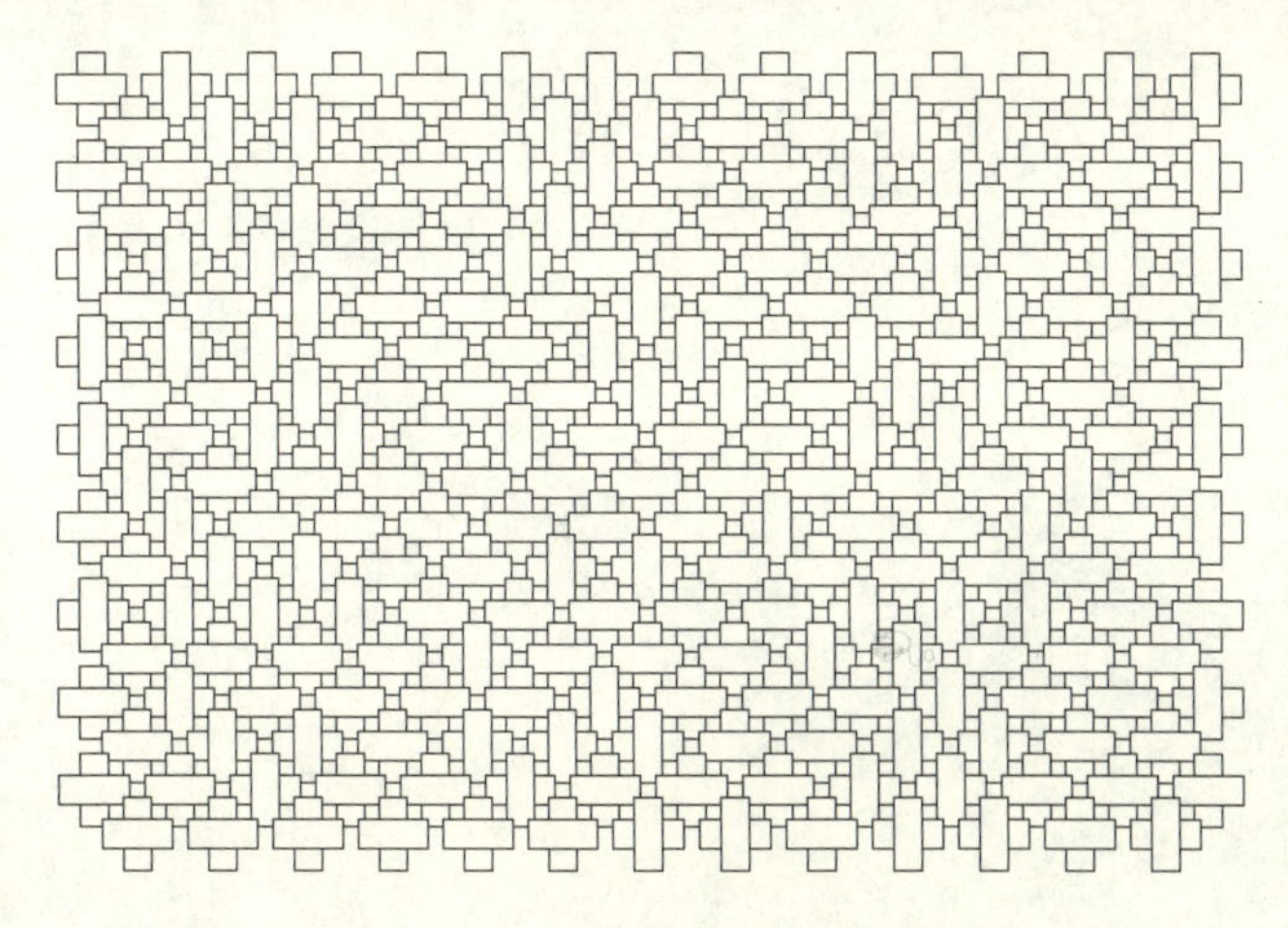

シンプルリスト

ドミニック・ローホー　笹根由恵＝訳

講談社＋α文庫
プラスアルファ

本作は2011年1月に小社より刊行された
同名の単行本を文庫化したものです。

L'ART DES LISTES
SIMPLIFIER, ORGANISER,
ENRICHIR SA VIE

人生をシンプルにしたい人
自分を好きになりたい人
思い出を大切にしたい人
ささやかな喜びを見つけたい人
本当に進むべき人生の道を見つけたい人

——そんなすべての人へ捧げます。

文庫版まえがき

単行本が出版されてから、5年近くがたちました。これまで多くの方に手にとっていただき、そして今回文庫化されたことを、非常にうれしく思っています。この本でご紹介するリストは、人生を前に進めるための貴重な道具となるでしょう。なぜなら、リストによってシンプルな視点を持てるからです。

リストを使うことで自分をより深く知り、よりよく生きることができます。自分の現在を見つめ、将来の姿を思い描く、羅針盤の役目をも果たしてくれます。リストは人生の柱のひとつとさえなりうるのです。

もしあなたが以前に作ったリストを読み返したとしたら、そこに自分自身のかけらを見つけだすことができるでしょう。ささやかな望みも、大事な決意も、一時的な情熱も、心に誓った人生の信条も……。リストがなかったら、これらは記憶から完全に消え去ってしまっていたことでしょう。ですから、リストは第一に記憶を助けるものです。

さらに、リストには別の大きな力があります。

リストは、あなたが道を見失い、心にぽっかりと穴があいてしまったときに、忘れてしまった人生の意味をとり戻してくれるすばらしい仕掛けでもあるのです。活力と希望がよみがえり、自信を持って生きていく力となります。変わることなく心の支えとなり、ときには心配ごとを吹き飛ばしてくれます。リストは、いわばセラピーのようなものなのです。

今朝私も、かつて作ったリストのいくつかを見返しました。それから夢中になって整理しなおし、磨きあげました。つまり、リストは一度作って終わりにするものではなく、そのときそのときの自分の最良の選択で、更新していくものなのです。

私はリストにタイトルをつけ、それをまとめてもくじのようにしています。この「リスト」のリストは、私のもっとも大切な財産のひとつです。リストは私の人生そのものであり、私の本質を映しだしてくれます。
リストは、いわば私たちの鏡なのです。
リストは、年齢や才能、環境や時間、そのときの気分に関係なく、誰もが使うことのできる魔法の道具です。小さな手帳と鉛筆さえあれば、本来の自分をとり戻し、自分のアイデンティティとゆたかな可能性を再認識できるのです。

本書が文庫本として出版されることで、どこにでも携帯しやすくなります。時折ページをめくると、あなたオリジナルのリストを作るインスピレーションがわいてくることでしょう。リストの魔法が、あなたにたくさんの幸せと、かけがえのない時間をもたらしてくれますように。

2015年11月

帰国したばかりのパリより　ドミニック・ローホー

SOMMAIRE

*

シンプルリスト
もくじ

1 本当の自分に出会うためのリスト

2 毎日をシンプルに生きるためのリスト

3 幸せが再生産されるリスト

4 五感を磨くリスト

5 自分と人生をもっと好きになるリスト

6 悩みから解放されるためのリスト

7　恋愛の苦しみを昇華するリスト

8 魔法のようなリスト

9 人生の脚本家は私

リストを作るヒント

なにに書くとよい?

＊手帳でもパソコンでも、なにを選ぶかは自由ですが、心のアンテナでとらえたことを書きとめるには、残りスペースを気にしなくてすむものがよいでしょう。私の場合は、ふだん持ち歩くハンディな手帳に、アイデアがわいたその場でメモし、それをあとでリング式のシステム手帳に整理しています。パソコンで管理するのも、更新や整理に便利かもしれません。

リストを書くコツ

＊最初のページは、あとから素早く検索できるよう、もくじのように「リスト」のリストを作るページにしましょう。

＊リストは、作ってみたいものから始めるのがいちばんです。本書では、私が意味があると思ったリストのテーマを提案しています。

＊はじめからできるだけ的確で簡潔な文章を作るよう心がけましょう。

＊日付や見出しの欄を設け、見た目にも気を配るようにすると、後日見直すときの助けになりますし、コレクションのように続けていきたいという気持ちになります。

＊分類や書き方など、はじめはうまくいかないこともあるかもしれません。自分にぴったりあったスタイルが見つかるまで、試行錯誤することも楽しみましょう。

＊リストは、同じテーマのことをあちこち複数のノートに分散して書いたりしないようにしましょう。そうでないと、全体を見渡したり、比較したり、参照したりできるというリストの存在理由がなくなってしまいます。

＊思い出のリストや夢のリストといったものは、数日、または数週間でできるものではありません。そのときどきに思い浮かんだことを書きとめていき、時間をかけて少しずつ作っていくものです。さかのぼって書こうなどと思わず、今、この瞬間から始めればよいのです。

L'ART DES LISTES 1

本当の自分に出会うためのリスト

リストは心を導く道具

リストによって可能になることはなんだと思いますか？

たとえば、自分が好きなことや思い出、夢などのリストを作ってみます。すると、内面を奥深く見つめることになり、かつて一度はあきらめた夢を見つけられたり、自分のなかの眠っていた創造力が呼び起こされたりするでしょう。それだけでなく、リストのテーマによっては、未知の自分と出会うこと、感覚を研ぎ澄ますこと、自分を再構成すること、深く考えることもできます。

それは、リストが心の呪縛を解いてくれるからです。

禅では、解放されて悟りに達するために、型を用いて心を導きます。リストはこの型なのです。信じられないかもしれませんが、リストを使うことで私たちの毎日は劇的に変わります。人生をシンプルにするのと同時に、その価値を高めることが可能になります。望むことを実現するために、これ以上の方法があるでしょうか?

私たちは常に時間に追われ、自分自身について考えることを忘れがちです。リストは簡単で使いやすいので、そんな時代の私たちにぴったりです。

実際、リストは心の一部として、私たちを支えてくれています。私たちは日常、たくさんのリストを作っています。しなければならないことリスト、したいことリスト、住所録、読書リスト、旅行の持ちものリスト、計画リスト……。

世間では、リストは機能的で役立つものの、大事に保管しておくような価値あるものではないと思われています。リスト作りを面倒で無駄だと考える人もいます。しかし、リストは暮らしをコントロールし、時間を節約し、ど忘れや勘違い、それにストレスを防いでくれています。そのうえ、人生に役立つ大切なものなのです。

絶対にしたくないこと

20世紀初め、アメリカ北西部モンタナ州の作家メアリー・マクレーンは、7年かけて自分の好きなもののリストと好きではないもののリストを作りました。

1901年3月8日　いらいらすることリスト

人のシルエットをボディーラインと呼ぶ人
腰を振りながら歩く女たち
魚のような目をした人
きついガードル
味のぼやけた甘口ワイン

口ひげを生やした男
熟れていないバナナ
私のしたいことを勝手に決めるばかなやつ
マットレスのくぼんだベッド……

——メアリー・マクレーン『Journal（日記）』

自分が好きではないものを知ることは、自分を知ることでもあるのです。

人生では多くの決断をしなければなりません。もし決断をしなかったら、そこから先に進めなくなってしまいます。選択肢を前にして、ただ迷い、時間だけが過ぎていくのです。

決断をするのなら、悔いのない選択ができるように、好きなものと好きではないものがはっきりしているのは望ましいことです。

たとえば、あなたの次の誕生日に、二度としたくないことをリストにしてみてはいかがでしょう。

人は年を重ねるにつれ、自分の理想をかたちにしていけるようになりますが、同時に、自分の時間は限りあるものだと自覚させられます。そうすると、したくないことを明確にすることが、いかに大切かおわかりになるでしょう。

幸福という観点から考えると、したくないことをしないというのは、好きなことをするというのと同じくらい大切で、したくないことをいくらかでもとり除くことで、今以上の幸福へとつながるのです。

本来、私たちは、自分がしたくないことをよくわかっているはずです。それでも、あえてリストに書きだすことで、したいこと、したくないことが自分自身の選択であると明確にすることができ、今より自由な気持ちになれるでしょう。

人がなにかをするのは、単に今までそうしてきたからだということが少なくありません。実際、人生の大部分は習慣的な行動によって成り立っています。リストはそれをはっきりと示してくれるのです。

「二度としたくないことのリスト」は、簡単に作ることができます。しかも、それは人生におけるあらゆる局面で効果を表します。誰にでも、自分がどうしたいのかわからなくなる瞬間があります。そうしたとき、人生において望まないことを書いておくことで、はっきりと道が見えてきます。

左ページに、リスト項目をあげました。一つひとつの項目に対し、考えつくだけ書きとめてみましょう。このリストは、自分が今どこにいるのかを教えてくれ、そのことが自分を理解し、自分を好きになる第一歩にもなるのです。

二度としたくないことのリスト

このリストは「対照リスト」にすると、より効果的です。ノートのページの真ん中に縦線を引き、左右に分けた左側に、たとえば、「して後悔したこと」、右側に、「機会があればしたいこと」を書きだします。

これは、過去の失敗から教訓を引きだし、望ましい行動パターンをとる新しい自分になるためのテクニックです。

＊自分にとって大切でないことに費やした時間

＊幸せになるためにはすべきでないのに、してしまったこと

＊好きではないこと

＊したくないこと

＊嫌なことで簡単に変えられること

＊嫌なことでかろうじて変えられること

＊嫌だけれど変えられないこと

＊自分がつきあいたくない人

多面性のある「私」

明らかに矛盾するとわかっていても、望んでしまうことがあります。

結婚生活を続けたいと思う一方で、独身の自由にあこがれる。ロンドンのような大都会に住みたいけれど、カントリーライフのほうが合っているように思う。仕事に生きがいを感じるが、責任から解放されたらどんなに楽だろう――。


内面にこうした矛盾や葛藤を持ち続けると、毎日の生活がスムーズに進まなくなります。矛盾を解消し、かつ自分に素直でいるためには、本当の自分をよく知り、常に自分自身と和解し続ける必要があります。

自分の内に潜むさまざまな側面をリストにすることで、自分にとってもっとも大切なこととはなにかがわかります。すると、日々生じる矛盾と共存できる解決策が見えてきます。

自分についての分析を行い、それをどんどん活用しましょう。自分に問いを投げかけて、その答えをできるだけ詳細に書きとめていきます。


「ひとりでいるのと誰かと一緒にいるのと、どちらが好きなのか」

「今の暮らしと二十歳のときに夢見ていた暮らしの、どちらがよいと思うのか」

「配偶者や恋人、子どもたち、両親の好きなところとそうでないところは？」

「身に着けたい服のスタイルは？」

「心揺さぶられる音楽やバレエは？」

そして「自分の倫理観や夢はどんなもの？」。


あなたにとって、愛とは、成功とは、幸せとは、なんなのか。あなたが社会やほかの人のために貢献できる才能とはなにか。

こうして作ったリストを読み返すことで、自分をより「自分」であると感じられます。そして、自分の選択に自信を持ち、一貫した揺るぎない行動をとることができるようになるでしょう。

人はみな、価値観や信念にしたがって行動することで、人生により深い意味を与えることができます。ですから、自らの価値観をはっきりさせることがなにより重要なのです。

今まで自覚していなかった自分の隠された一面を発見することは、私たちがいかに複雑でゆたかな存在であるかを、あらためて気づかせてくれます。リストを通して自分自身を見つめることで、「これこそ本当の私！」と思えるようになるのです。

自分の好みを知っていますか？

意外かもしれませんが、多くの人が自分の好みをはっきりとは自覚していません。このことは、好きな色やインテリアスタイルを尋ねても、たいていあいまいな答えが返ってくることからもわかります。

好きな色は白などのモノトーンだと言いつつ、ふだんかなり鮮やかな色や柄ものの服を着ている人がいたり、モダンなインテリアスタイルが好きだと言いながら、年代物の家具が置かれた部屋で暮らしている人がいたりします。

カラーコンサルタントからこんな話を聞きました。好きな色をきちんと自覚するようになると、人生が今以上にうまくいくと言うのです。自分自身が無意識に持っていた違和感がとり除かれ、自分の価値観と調和した生活が送れるようになるためだそうです。

確かに、価値観が明確になると、迷ったり後悔したりすることで無駄なエネルギーを使うことがなく、自然と元気がわいてきます。

多くの人が自分の好みをわかっていないということは、暮らしのなかにものがあふれていることからもわかります。

そもそも好みが明確になっていないから、ついつい余計なものを買ってしまうのです。今あるティーポットよりも美しく実用的なものを見つけたと思って新たなティーポットを買ったのに、しばらくして飽きてしまい、ついには、どのティーポットがいちばんよいのかわからなくなってしまうのはよくあることです。どれがよいかわからないために、処分することさえできないのです。

アイスクリームを20のフレーバーから選ぶより、2つのうちのどちらにするか決めるほうが簡単なように、自分がなにを目指し、なにを望んでいるのかが明確になると、人生は今よりはるかにわかりやすく、幸せなものとなるのです。

「これが私！」と言えるものが見つかるリスト

*居心地がいいと思うカフェや公園
*部屋に置きたい花や植物
*身に着けたい色
*自分らしい服やアクセサリー
*自分らしくない服やアクセサリー
*もっとも似合うメイク
*もっとも似合う髪型
*実践したい食生活
*好きな食器や調度品のスタイル
*おつきあいしたくない人のタイプ
*それをすることによっていきいきとできること
*好きな話題と嫌いな話題

「飛び石」リストは人生の進行役

人生を理解するには過去を見つめるしかないが、
人は前を向いて生きるものだ。
――セーレン・オービエ・キルケゴール、哲学者

夜の日本庭園に、月光を浴びて浮かび上がる「飛び石」を想像してみてください。縁側から庭に等間隔で敷かれた自然石の道。「飛び石」は、履き物を汚さずに歩くためのものですが、考えてみれば人生の重要な局面も、まるで飛び石のようです。

アメリカの心理学者アイラ・プロゴフは、彼の提唱するインテンシブ・ジャー

ナル・プログラムで、自分の人生の主な出来事を「飛び石」に見立て、リストを作ることを勧めています。

人生の年譜を作ると、なりたい職業がコロコロ変わったこと、出会いと別れ、結婚と離婚など、これまで支離滅裂で一貫性がないと思ってきた出来事につながりを見いだせるようになります。飛び石リストは本当のあなたを浮き彫りにし、あなたは自分の変化と成長を知ることになるでしょう。

同様に、配偶者や友人、家族など、あなたの大切な人の飛び石リストを作ることもできます。飛び石リストを作ると、相手を自分の愛や欲求の対象として見るのではなく、自分から切り離して、自立したひとりの人間として客観的にとらえることができるようになります。もしかすると、その人のこれからの姿をも垣間見られるかもしれません。

飛び石リストは、恋愛、成功、キャリアなど、人生のあらゆる分野に応用することができます。過去だけでなく、次のように、将来の願望でも作れます。いったん書きだしてみると、前の飛び石（願望）から次の飛び石（願望）へと、イメージが発展していくはずです。

- ニースに住む
- 絵画の講義を受講する
- こぢんまりしたおしゃれなマンションに引っ越す
- 自分で描いた絵のうち何枚かが売れるようになる
- 生活が安定して、ついに安らぎを見いだす

こうして願望がリストで具体的に文字になると、すでに実現可能なものになっています（213ページ「現実を変化させる言葉のエネルギー」参照）。つまりリストは、決断をするときにも、将来をイメージするときにも、私たちを導いてくれるのです。

あなたが感じる他人の長所や短所

実体験にもとづいた奔放な小説で読者の心を魅了したヘンリー・ミラー。彼とその妻ジューンに深くかかわった作家アナイス・ニンは、日記のなかで、ヘンリーとジューンふたりともに惹きつけられたと明かしています。

わたしはジューンの美しさとヘンリーの才能のあいだで、わなにかかってしまったのだ。異なった方法でわたしは彼らの双方につくしている。それぞれにわたしの一部が惹かれている。わたしのなかの作家はヘンリーに関心を抱いている。ヘンリーはわたしに創作の世界を与えてくれ、ジューンは危険を与えてくれる。わたしはどちらかを選ばなければならないのに、それができない。

——アナイス・ニン（原麗衣訳）

アナイスの一部はジューンになりたいと思い、別の一部はヘンリーにあこがれています。アナイスは自分のそうした気持ちを分析することで、女性としての自分と、作家としての自分の両方のアイデンティティを確立することに成功するのです。

あなたがある人について思う、その長所と短所をリストにしていくと、自分自身のなりたい姿やなりたくない姿に気づくことができます。

私たちが他人のなかに見いだした長所や短所は、自分自身の長所や短所でもあるのです。心理学的にも、私たちが他人のなかに発見する長所は、もともと自分のなかに持っていたものだと考えられています。

「人物描写リスト」を作り、他人の長所、好奇心をそそられる部分や心惹かれる部分、あこがれるところを書きとめていくと、そうした長所を自分自身も身につけたいと意識するようになります。つまりそれが、新しい自分を手に入れるための第一歩になるのです。

誰かと親しくつきあいたいと思ったり、逆に誰かとつきあいたくないと思ったりするときには、自分の人間性が投影されていることが多いものです。つきあう人の多様さは、自分自身の多面性を示し、たとえばいつも芸術家と恋に落ちる女性は、自分自身が芸術家の可能性を秘めているのに、そのことに気づいていないだけなのかもしれません。

家族や友人など大切な人の人物描写リストを作り、その人と知り合うことによって得たことや、自分が変われたことを書きとめてください。彼らは、彼らの目から見た世界をあなたに教えてくれているのです。

人物描写リスト

リストの対象者は、過去の人でも現在の人でもかまいません。たとえば、

「親友」をリストにするとき、これまでの人生で親友と思っていた人すべてが、リストの対象となります。

＊親友（人となりや好きなところ）
＊思春期の友達（一緒にしたことを覚えていますか？）
＊恋人（どこに惹かれ、愛していたのか）
＊多くのことを教えてくれた先生（教えられたこと、尊敬する点）
＊家族（長所、短所）
＊かかわった時間は短かったけれど強い印象を受けた人（なにを感じたかなど）
＊強烈な個性で、影響を与えられた人（どんな個性なのかなど）
＊小説や物語、映画で印象に残った登場人物

ロールモデルは誰？

あの人に会って、人生の見方が変わったわ。

——シャンタル、私の妹

ロールモデル（お手本とする人）の存在は、人生に大きな影響を与えます。ロールモデルがあると、お手本のようにならなくてはいけないという固定観念に縛られる、自分らしくなくなる、と心配するのは思い違いです。ロールモデルは、人生を通じて私たちを導いてくれるお手本となるのです。

本当になりたい自分に近づくと、よりすばらしい人生を送ることができるでしょう。私たちは、人生というドラマティックな物語のヒーローやヒロインになれるのです。

オデュッセウス、マグダラのマリア、ロビンソン・クルーソー……。

子どものころ、あなたは誰のようになることを夢見ていましたか？　あなたのヒーローは、スターは、アイドルは、誰だったのでしょう？　もっとも感銘を受けた本や映画、物語はなんでしたか？　そのときのロールモデルが今のあなたの一部をなしているのです。

ですから、本当の自分やなりたい自分の姿をよりよく知るためには、そのロールモデルを知り、意識しなければなりません。

ロールモデルにならって生きることは、個性や独創性に欠けるということではないのです。もし無人島で青春時代を過ごしていたら、今の自分にはなっていなかったでしょう。

あなたはなぜ、ある特定のロールモデルを選び、影響を受けてきたのでしょう？　その理由こそが今のあなたの個性を作りあげたのです。

過去から現在に至るまで、どんなロールモデルがいたかを、次のページのリスト項目を利用して見つけてください。そうすれば、いかにその人が自分を導き、変化させてきたのか、気づくことができるはずです。

ロールモデルのリスト

＊好きなヒーローやヒロイン

＊お気に入りの映画や小説

＊幸せのモデルとなっている人

＊途方にくれたときにロールモデルに聞きたいこと

＊感銘を受けたロールモデルの言葉

＊感銘を受けたロールモデルの行動

＊参考にしたいロールモデルの考え方

L'ART DES LISTES 2

毎日をシンプルに生きるためのリスト

ひとつだけという満足感

物質的にも精神的にも不要なものを、いつまでも手放せないのはなぜなのでしょうか？　私たちはそのせいで、本当に大切なものを見落としたり、十分に使いこなせなかったりしているのです。
ひとつだけあればいいもののリストを作ることで、それが本当に必要なものなのか常に意識することができます。快適さやゆたかさというイメージに、変化が起きることでしょう。

持ちものをシンプルにする

・厳選したオイル　1種類（髪、お肌、マッサージ、爪のケア、メイク落としに）

・オールマイティな石けん　1個（顔と体兼用）
・細々としたものを詰めておくためのヴァニティーポーチ　1個
・香水　1種類（「私」だという存在感を示せるもの）
・マニキュア　1本（手と足の指先を同じ色に）
・指輪　1つ（それ以上必要でしょうか？）
・イヤリング　1ペア（指輪とお揃いにするとよいでしょう）
・万年筆や宝石の地金　1色に決める（ゴールドかシルバー）
・夏冬兼用の大判ストール　1枚（風、クーラー対策）
・冬用の基本コーディネート　1セット（コート、ブーツ、帽子、手袋）
・季節の変わり目に着る週末用の服　1着
・部屋ごとのテーマ色　1色
・携帯用手帳　1冊（いつでも必要な情報が引きだせます）
・リスト手帳　1冊（！）

習慣をシンプルにする

- 花瓶には1輪の花を（禅の本質です）
- 美術館では特に惹かれた1枚の絵だけを鑑賞する
- ひとりで旅に出てみる
- 一日につき1つだけ美のお手入れをする（ストレスにならない秘訣です）
- 掃除は一度につき1ヵ所だけを徹底的にする
- 気に入った映画監督の作品を系統だてて一気に観る
- 一週間のうち1日はなんの約束もない日を作る（ユダヤ教の安息日のように）
- 取引銀行は1行だけに決める（関連書類を最小限に）
- 1のつくキリのいい金額を貯金する（1000ユーロ、1万ユーロなど）
- 自分にとっての理想体重を明確にしておく
- 考えと言動を一致させる

頭を整理してストレスフリーに

「気になること」の正体は、頭のなかにあるモヤモヤした考えで、たいていは際限なく存在します。

一方で「気になること」を洗いだすのは簡単です。

たとえば今、本書を読むのに完全に集中できないとしたら、その理由はなんですか？　なにが気になっていますか？　忘れてしまうのではないかと心配なことはありますか？

私たちはよく、しなくてはならないことを大げさに考えますが、いったんリストにすると、簡単にコントロールできるように思えてくるものなのです。

すべてを頭の外に追いだし、リストという整理システムに預け、最新の状態に保つ。そうしてはじめて、リラックスしつつも集中して目の前にある仕事にとり組むことができます。

欧米のビジネスパーソンに大きな影響を与えた経営コンサルタント、デビッド・アレンは、高い生産性を発揮する方法を提唱したことで世界的に有名です。その著書『はじめてのGTD ストレスフリーの整理術』で、次のような5つのステップを提案しています（著者要約）。

1 「気になること」をすべて1ヵ所に「収集」する
2 収集したことを「処理」し、具体的になにをすべきかを明確にする
3 するべきことを状況ごとに「整理」する
4 リストを定期的に「レビュー」する（見直す）
5 行動を選び、「実行」する

このGTD（Getting Things Done の略）というシステムのカギは、具体的な

行動にあります。

もし、タイヤを交換しなければならないなら、実行するために書くべきことは「タイヤを替える」ではなく、「自動車整備工場の予約をする」です。このようにリストに書いてあることが明快であればあるほど、すみやかに行動に移すことができます。

もうひとつの解決法は、2分以内でできることならば、ただちに実行してしまうというもの。リストに整理するまでもなく、この「2分ルール」にしたがえば、どんどん雑用が片づき、その感覚はまるで10倍速で早送りしているかのよう。達成感にあと押しされ、あらゆる雑用をたった1日でこなせるようになります。

カレンダーにするべきことを書きこむ方がいますが、カレンダーは聖域と考えましょう。特定の日時に絶対やるべきこと以外を記入してはいけません。日時が決まっていないことについては、リストに状況ごとに分類してください。たとえば、「次にとるべき行動」のリストに、「あのエリアでの買い物」「かけなければならない電話」「書かなければならない手紙」などというように。

そして、「歯医者の待合室でリリーに手紙を書く」「自動車整備工場でタイヤを替えてもらっているあいだに、グレッグさんに電話して会う日を決める」のように、することを組み合わせましょう。

また、意外にもモチベーションを上げる特効薬となるのが、デスクの整理や請求書の選別といった、簡単にできることのリストです。少し時間を割き、このリストにある「やっていないこと」を片づけると、それ以外の用事も「すべて終わらせるぞ！」という気力が回復してきます。小さくても終わらせるということが大事なのです。


すっきりとした気持ちで暮らしていくために、悩みも書きだしましょう。

リストを作ることは、頭のなかにたまっていることを書きだして、「今すぐにできること」と「今はやらなくてもいいこと」を見極めることでもあります。

頭のなかから心配ごとを追いだし、紙の上に並べると、驚くほどリラックスできます。もし、真剣に検討しなければならないことや、どうしても解決しなければならない問題を抱えているなら、それが仕事上のことでも、交友関係のことでも、あるいは体のことでも、すべて書きだしてみてください。

書きだしてしまうと、悩みに対しても客観的になれます。感情的になることなく、論理的に、また具体的に解決策を考えることができます。こうすることで、これまで思い悩んでいたことが小さくなったようにさえ感じることでしょう。

解決策が見つかれば、もはやそれはリストに並んだ、するべきことのひとつにすぎません。リストによって、あなたの心はこのうえなく軽くなることでしょう。それが、シンプルに生きるということなのです。

本当の「時」の流れを感じるために

時間はこれを使うことによってしか忘れることができない。

――シャルル・ボードレール（阿部良雄訳）

どんな人にも平等に「時」は刻まれます。

でも、どのように「時」をとらえるかで、人生の充実度は変わってきます。そして、リストが、私たちの時間に対する感覚によい刺激を与えてくれる役割を果たすのです。

毎日を大切に生きていると、過ぎ去った時間は幸福な思い出へと姿を変えます。そうなるためには、自分の持っている時間を意識し、それをいかに使うかが重要です。

あてもなくのんびりと散歩すること、原っぱに横たわって雲を眺めること、川面に見とれること、日曜日の午後、ソファやベッドに身をゆだね、推理小説を読んで過ごすこと。そうしたことがじつはなによりも大切なのです。

立ち止まり、なにもしないでいることではじめて、時に支配されず、あらゆる束縛から心が解放され、本当の時間の流れを感じることができるのです。

自信と集中力をとり戻すのに役立つこうした時間は、「儀式」と考えていいかもしれません。実際、儀式のあとでは自分がまったく違っていることに驚きます。加えてそうした儀式は、ひとつの活動から次の活動へと移るときに行えば、心のコンディションを整えることにもなります。

大切に時間を使い、時の流れを感じるために、自分がどうしたらいいか考えてみましょう。私の時間に対するルールは次のようなものです。

「行動」に関する時間のルール

- 目標は期限を決める（1週間、1ヵ月など）
- 計画にとりかかる前にしっかりと情報を集め、そのなかから役立つ情報だけをとっておく
- 決めたらぐずぐずせずに行動する（ものごとを実際にするよりも、しないですませようとするとかえって時間がかかるものです）
- 手元のリストを常にわかりやすく最新に保ち、行動をグループ分けする（近所の買いもの、書きそびれている手紙、電話しなければいけない相手、外出など）
- 土曜日に嫌な仕事を片づけ、日曜日には仕事をしない（嫌な仕事のリストは効率をよくしてくれます）
- ひとりでできるスポーツをする（スポーツクラブに行かなくても、ウォーキング、ジョギング、ヨガなどひとりでできます）

・なるべくものを持たない（保管場所を確保したり、メンテナンスしたり、最終的に処分したりと、ものを持つのは手がかかることです）
・メンテナンスが簡単で、コーディネートしやすい服を着る（ツインニット、パンツスーツ、同じ色のトップスとボトムスなど）
・健康診断、歯科、眼科、美容院は余裕をもって予約する
・献立は前もって決めておく

「人づきあい」に関する時間のルール

・約束するときは具体的に（日時、場所など）
・約束時間には余裕をもって着く
・おつきあいするのは自分にとって大切な人だけにする
・電話は手短に
・断ることを覚える（自分自身との約束を優先する）

「時間」を味わうヒント

- 平日は早寝早起きし、休みの日には朝寝坊する
- お風呂でゆったりする（音楽、キャンドル、アロマなど）
- お酒は今までの倍の時間をかけて半分の量を飲む
- 笑う
- 自然を眺める

私の時間濃縮器

人生の時間には限りがあり、それをどう使うかが大切です。

リストを作ると、その時間の密度を濃くすることができます。つまりリストは時間濃縮器のようなものなので、しなければならないことやしたいことの山に押しつぶされそうになったとき、非常に便利です。

不意に起こることや意外な出来事も魅力的ではありますが、自分の時間を存分に楽しむためには、しっかりと段取りをつけて、自分に与えられたあらゆる可能性を生かさなければなりません。

収支を書きとめると、お金の流れを調整して余計な出費を減らすことができるように、やるべきことを書きとめることで、より計画的に行動し、意識的にものごとを決められるでしょう。意識することができれば、戦いに半分勝ったも同然なのです。

するべきことが軽やかにできる

1　日常のなかで絶え間なく出てくる小さな課題は、こまめにメモしましょう。メモすることで、気持ちが楽になります。頭のなかで「忘れないでいる」必要はもうありません。

完了したことには、必ずチェックマークをつけましょう。チェックマークのついたメモを見ると、達成感を味わうことができます。

2　仕事については、その日、もしくはその週のうちにやってしまうべきことに優先順位をつけて書きとめます。このタスクリストを作ることで、時間をより効果的に使えます。

3　アイデアは、時や場所を選ばずに突然ひらめくものです。それにいちいち気をとられると集中力を失い、仕事に支障をきたすことになります。作業や思考の流れを断たないために、ノートなどに書きつけてしまいます。仕事中は特に、重要なこととそうでないことを区別することが大切です。

なにごとも「終える」のがカギ

1　たとえば、電子メールには、すぐに返信するか、そうでなければそのメールを削除してから次のメールに移るようにします。同様に、アイロンがけやマニキュアを塗ることなどでも、きちんとやり終えていくことが大切です。なにごとも翌日に持ちこさないようにしましょう。

2　しなければならないとわかっているのに、とりかからなかったりあと回しにしたりすることは、単なる逃避であり、ストレスとなっていつまでもつきまとうばかりか、失敗につながります。
行き詰まっているなら、試しにいちばんやりたくないことからやってみましょう。嫌な作業はさっさと片づけて、忘れてしまうべきです。困難を乗り越えたという気持ちは、モチベーションを上げるためのよい刺激剤にもなります。

3　もするべきことが大きすぎて、どこから手をつけていいのかわからなかったら、問題を細分化してみましょう。大きな仕事をひとつ成し遂げなければならないと思うよりも、小さな仕事をいくつかこなすと思うほうが、心理的な負担が少なくなるからです。
細分化してリストにすることで、必要な時間がどれくらいかわかると、気持ちが安らぎ、ほっとします。

4　することを一つひとつ書きとめていくのは、非常に大切です。タスクリスト作りは、いわばゴールを設定することであり、見落としを心配するロスもなくなるということです。

私が知っているクリエイティブな仕事をしている人たちは、とりわけ人生を設計することに長けていて、そうした人たちはみな、日常生活のリズムを大切にしています。それが生産性や効率性を上げ、健康的にもなれる秘訣だと考えているからです。

行動リストを作るのも同じこと。時間を上手に使えると、もっと自分の好きなように生きられるようになります。自分の欲求にもっとも合うことを見つけ、人生の質をできる限り高めることが大切なのです。

私が「時」に関してリスト化するときの項目をお教えします。これを参考に、リストを作ってみてください。

「時」のリスト

*自分の時間の大部分を占めていること

*自分のための時間

*財産（高価な楽器、船など）を手に入れてから楽しむ時間と、それを得るためにかかった時間

*時間を無駄にしがちなこと（長電話やメール、インターネット、過剰な情報など）

*してみて後悔したこと（結果的に時間の無駄だったこと）

*しなくて後悔したこと

*人生で真剣に生きた瞬間

*一日のうち、家事や食事に費やす時間（買い物や片づけ、皿洗いを含む）

*一日のうち、仕事に費やす時間（通勤時間を含む）

*一日のうち、ひとりで過ごす時間（ヨガ、瞑想、書くことなど）

*一日のうち、大切な人と過ごす時間（手紙や電話を含む）

かけがえのない瞬間

瞬間の積み重ねが永遠の「時」を作っています。そしてその瞬間の「質」は、私たちが一瞬一瞬にどれだけ多くの意識を向けることができるかで決まります。

そのためには、常に自分の心を開いておき、いろいろな刺激を観察し、理解し、感動できるようにするのです。かつて、偉大な哲学者アリストテレスは、「注意深く観察をする能力が発達すればするほど、幸せになる能力が発達する」と述べています。

私たちが、時間がないという焦燥感にかられるのは、段取りが悪いからではありません。多くの場合それは、うまく集中できていないところに原因があるのです。長時間働いているけれどもクオリティは低い、遊んでいても心から楽しめていないなど。

こういうときは思いきって、今していることの手を止め、心からリラックスして、自分の思う「完璧な行動」リストを作ってみてはいかがでしょうか？

朝15分早く起きて始業前にカフェで朝食をとる、木曜日に花を買う、土曜日は朝市に行く……。

毎日をエンジョイしましょう。これまでわずらわしいと思ってきたことを楽しみに変えるのです。

なにげない日常のひとコマでさえ、大切に味わうことができるはずです。おっくうな寒い日の犬の散歩も、ドライブに行くのと同じように楽しいものに変えられるかもしれません。

日々、人生を楽しむことについて考えましょう。くり返しますが、毎日を大切に生きていると、過ぎゆく時間は幸福な思い出へと姿を変えるのです。

かけがえのない瞬間のリスト

*理想的な一日とはどういう一日か
*日常にある楽しみの時間（ショッピング、パーティー、瞑想など）
*単調な日常を忘れさせてくれる楽しみ
*外出予定（映画、同窓会など）
*休暇中にすることの予定（旅行など）

L'ART
DES
LISTES
3

幸せが
再生産される
リスト

幸せのレシピ

今、いくらかのよろこびをもって、七時だということに気がつく。食事の用意をしなければならない。たらとソーセージの肉。このことを書くことによってソーセージやたらに対してある種の支配力を手に入れることはほんとうだと思う。

――ヴァージニア・ウルフ（神谷美恵子訳）

人生をどのように生きれば本当の幸せが見つかるのでしょうか？
人生には目的があるのでしょうか？
私が共感を覚えたのは、ある中国人のシンプルな答えでした。人生の目的とは楽しむことであり、それが幸せな人生だというのです。楽しみには物質面と精神面があり、これらは表裏一体で切り離すことはできません。ピクニックに行くにしても、お弁当の楽しみと、景色を眺めてきれいな空気のなかで深呼吸し解放感にひたる、といった楽しみがあるものです。

小さな幸せの瞬間を集めたリストは、じつは幸せな人生そのものです。本当の幸せとは、他人に自慢するものでもなければ、他人の期待するイメージに添うことでもありません。それは日々の暮らしのなかにあるのです。

遠くから聞こえるピアノの音や、公園の子どもたちのはじける笑顔。夕暮れの空を行く渡り鳥。そんな小さな幸せの情景の集まりこそが、私たちの人生における幸せの本質なのです。困難に直面したときにそのことを思いだしましょう。幸せのリストは、人生の見方を変えてくれるかもしれません。

特に五感を意識することをお勧めします。五感を通じて新たに知ったことに驚いたり、感動したりする能力が幸せを生むのです（五感の磨き方については第4章で述べます）。

日記はネガティブな気持ちの吹きだまりとなりがちです。ポジティブな出来事のリストを作ると、それは実際に私たちをポジティブにしてくれます。幸せな瞬間をリストにしておくと、将来、自分がいかに幸せだったかを思いだすことができます。それはまさに、幸せのレシピなのです。

ここに、私にとっての幸せな瞬間を書きだしてみました。

- 降りしきる雨を眺めながら、バッハを聞く
- 夜が更け、すべてが寝静まってから、古い白黒映画を観る
- リビングルームにキャンドルが灯される
- ふかふかのじゅうたんの上を裸足で歩く
- 太陽で髪を乾かす
- 起きがけに漂う焼きたてのパンとコーヒーの香り

・お香をたきしめた部屋で眠る
・日中にお昼寝することにして、夜明け前に起きる
・冬、上質の暖かいコートに身を包み、散歩に出かける
・すがすがしい初夏の週末に、ピクニックをする
・夏の夜、カエルの歌に耳を傾ける
・海原を行く、船のデッキにたたずむ
・エッフェル塔の上からパリを見渡す
・イギリスでタクシーに乗る
・朝露に濡れたリラ（ライラック）をたっぷり花束にする
・雪降る露天風呂につかる
・年月を経て味わいが出る――革、家具、ジーンズ

小さな幸せが見つかるリスト

＊季節ごとの幸せ

＊一日のなかで感じる幸せ

＊訪れる国ごとに味わう幸せ

＊大切な人と一緒に味わう幸せ

＊ひとりで味わう幸せ

＊お気に入りの場所から生まれる幸せ

読み返した本はどんな本？

『ル・モンド』紙（2004年2月24日付）に「読書の楽しみ」という記事が載っていました（抜粋）。

- 同じように本を読んでいる恋人の左足に、自分の右足をぴったりと寄せて、ベッドで本を読む
- トイレでフランスの古典的名作を読む。または読み返す
- ストーリーが少し怖くなってきたとき、ヒロインが最後まで生きているか知るためだけに、本の最後の数行を少しだけ読む
- 何度も読んでいる『枕草子』を読む。ただし、今回はいつものような図書館の本ではなく、買ったばかりの自分の本を

3
幸せが再生産されるリスト

・ダンヒルを吸いながら読む
・電車が発車するときに読み始め、到着する直前に読み終わる
・味わい深い部分を宝物としてとっておくために、手帳に書き写す
・自分の好きな本を誰かが読んでいるのを目にする
・最後のページをめくる前に少し待つ
・好きな人が好きだった本を好きになる
・明日、来週、来月など、あとで読む本を別にしておく
・誰かに本を読んであげる
・小声で詩集を読む
・早く読みたい本が届くのを待つ
・読書を中断し、空を見上げる
・夜通し読書する

私にはいろいろな楽しみがありますが、なかでも読書は、楽しいだけではなく

大きな影響を与えてくれます。

私は、読んだ本の名前を、読み終わった日付、読んでいた場所とともに書きとめています。時が経つと、このリストは読んだ本からほかの出来事を思いだすための手がかりとなるのです。

以下は、私のリストの一部です。

- 1985年、アラン・ワッツ『Éloge de l'insécurité（不安礼賛）』。夏の涼しい夜にカリフォルニア州アプトスにあるサムの家のリビングルームにて、暖炉のそばで自家製カクテルをゆっくり楽しみながら
- 1987年、エミリ・ディキンソン『エミリ・ディキンソン詩集』。大学で好きだった教授の授業にて
- 1987年、ジョン・ブロフェルド『Yogas, porte de la sagesse（ヨガ――知恵の扉）』。タイ旅行の機内にて
- 1987年、ヘンリー・デイヴィッド・ソロー『ウォールデン　森の生活』。

カナダ国立公園バンフにて、サンディ、マーク、ジェフとキャンプ中に。学生時代の夢のような旅

・1989年、岡倉覚三『茶の本』。東京の6畳間の自室にて

・1990年、オイゲン・ヘリゲル『弓と禅』。雪降る東京で、お正月休みに

・1994年、アン・モロウ・リンドバーグ『海からの贈物』。ニューヨーク、セントラルパーク近くに借りたワンルームマンションにて

・1995年9月、スコット・フィッツジェラルド『グレート・ギャツビー』。パリにて

・1996年、道元禅師『正法眼蔵』。名古屋の寺院で、昼寝の時間帯に

・1997年、鴨長明『方丈記』。原宿の図書館で借りて

・1998年8月、夏目漱石『吾輩は猫である』。リスボンにて

・1999年、ジョージ・ギッシング『ヘンリ・ライクロフトの私記』。東京にて、ハジメからのプレゼント

・2003年、カーソン・マッカラーズ『悲しき酒場の唄』。ニューヨークに

て、ジャンとユキオの家で芝生のリスを眺めながら

・2004年、一休宗純『狂雲集』。母からのプレゼント

・2004年、ミシェル・フーコー『主体の解釈学』。パリのアリーグル市場付近の書店で、ハジメからのプレゼント

・2005年、林語堂『人生をいかに生きるか』。パリにて、クロード・Bの勧めで

・2007年、ニーチェ『曙光』。パリにて、ハジメからのプレゼント

あなたがこれまでに読んだ本の一冊一冊が、あなたに影響を与え、今のあなたを作りあげたのです。

読書とは旅であり、冒険であり、誰かとの出会いです。旅の途中で寄った港でするように、自分が感じたことや考えたことを記録していきましょう。読書をし、その記録を残すことは、自分の糧となっていきます。

本当に記憶に残る本があったら、読み返してみましょう。もっとも大切な本

は、読んだ本ではなく、読み返した本なのです。

心の本棚リスト

＊自分の蔵書一覧
＊読書メモ（読み終わった日付、読んでいた場所、感想、心に響く言葉）
＊読むべきと思った本
＊読み返すべきと思った本

音楽の力を味方にする

音楽が恋の糧であるなら、つづけてくれ。

――シェイクスピア（小田島雄志訳）

音楽は、私たちに深い感動や興奮をもたらし、人生を変えることすらあります。孔子は、音楽には文明に影響を与える力があるとまで考えていました。

音楽は、人を愛することや食事をするといった、本能に匹敵する喜びをもたらすと考える人もいます。それはときに言葉以上に多くのものを伝えます。

沈みゆく太陽を見ながら聞くマーラーや、葬儀に流れるバッハのシチリアーナは、どんな言葉よりそこにこめられた気持ちが伝わるものです。

音楽は私たちに刺激を与える一方で、気持ちを整理し、不安や心配を追い払ってくれることもあります。

実際、音楽の種類によっては、私たちの感情は思っている以上に影響を受けます。ですから、聞く音楽は意識して選ぶようにしなければなりません。落ちこんでいるのにショパンを聞いたり、神経が高ぶっているのにロックを聞いたりすることは、コーヒーに吐き気がしそうなほどクリームを入れたり、眠りたいのに濃いエスプレッソを飲むようなものなのです。

音楽は生きもののようです。振動が全身をそっと包みこみ、体を震わせ、そして心に届くのです。一見至極単純に思える音楽を聞くという行為が、奥深くすばらしい楽しみであると知ることで、この世界の真理は五感で感じるもののそのまた先にあるものだというパラドックスを理解することができるのです。

心の栄養になることを選ぶのは、体のために食材を選ぶのと同じくらい大切です。今は、そのときの気分や場所、シチュエーションにぴったり合ったオリジナルの音楽プレイリストを自分で作ることができる時代です。

朝のプレイリスト、悲しみを吹き飛ばすためのプレイリスト、反対に、悲しみに浸るためのプレイリストを作るのもいいでしょう。何枚かのCDを冬のあいだはしまっておき、春の訪れとともに味わってみることもできます。そうした選択をするのが真の音楽通なのです。

私が好きな音楽は……。

- 自然の音（雨音、滝の音、波の音、虫の音、風のなかの葉ずれの音、フクロウの鳴き声など）
- 料理中に流すクラシック音楽
- ある一定のサイクルで、ビートルズ
- 元気をとり戻したいときには、ヴィヴァルディ
- 執筆や読書のときには、お気に入りの映画音楽（「イングリッシュ・ペイシェント」「追憶」「青いパパイヤの香り」）
- 両親の家にいるあいだは、子ども時代の歌

・無心になりたいときには、韓国の古い楽器音楽
・過去の幸せな瞬間を思いださせてくれる曲（これまでの恋人それぞれに特別な曲があります）
・自分の目指すべきところを思いだしたいときには、琴や尺八の曲
・私の「青春時代」の曲（サイモン＆ガーファンクル、ボブ・ディラン、デヴィッド・ボウイなど）
・戦後アメリカのジャズのノスタルジックな音楽（とくに、すべてが静かな夜には）

あなたは？

心地よくなれる音楽リスト

シチュエーションごとに聞きたい音楽のプレイリストを作ります。

*リラックスしたいとき

*眠りにつくとき

*友人を食事に招いたとき

*家事をしながら

*お風呂で

*朝の目覚めに

*ヨガをするとき

*瞑想をするとき

*雨音の調べとともに

*ロマンティックな夜を過ごすとき

*ノスタルジーに浸るとき

*純粋に音楽を聞きたいとき

*仕事中

画家エミリーの決断

ミニバンの屋根を叩く雨が大きな音を立て、動物たちは睡魔と闘いながら震えている夜。漆黒の闇。小さな谷を覆う夜は、黒くて大きなかたまりのようで、スライスして切り出すことさえできそうだ。近くの小川は、まるでその痛む喉を癒すうがいをしているかのように音を立てている。マハルト・ハイウェイを一台の車が通り、ヘッドライトの光がミニバンの上方を照らし出す。そして、その車の姿は束の間のまぼろしのように消えていくのだ。

——エミリー・カー

カナダの画家エミリー・カーが、猿とネズミと2匹の子犬を連れてトレーラー・ハウスに移り住もうと決めたのは、61歳のときでした。老いを憂えることも、自らの孤独を哀れんだりすることもあったでしょう。それでもエミリー・カーは、月並みでない暮らしを選びました。そして、その暮らしを日々味わってリストにし、人生の喜びとして描きだしたのです。

同じように、私たちにも自らの人生を描く力があります。色やトーン、素材を選びながら描いていくなかで、自分が世界をどのようにとらえているかが見えてきます。見たいもの、聞きたいもの、感じたいもの、触れたいもの、読みたいもの、したいことを選び、それをリストにしていくことで、世界の見え方、ひいては人生の歩み方が変わります。

リストのテーマを選択することは、人生において、これからなにをしていくかという選択にもつながるのです。

私たちの人生は、その一瞬一瞬が驚くべき発見に満ちあふれています。それを一つひとつ言葉にしてリストに紡いでいくと、それは幸せの宝庫となるばかりか、自らの感性や感覚、持って生まれた想像力や創造力を、よりはっきりと意識することにつながります。このリストは、自らが選びとってきた自分自身の姿を映しだします。

人間であることの大きな喜びのひとつは、創造できるということです。ふだんの自分から、さらにその奥にある本当の自分を意識し、内に秘めていた可能性を開花させるのです。人生がもたらしてくれる喜びを一つひとつ摘みとり、つなぎ合わせていくと、美しい景色と同化して溶けこみ、我を忘れてただ幸せを感じることができます。画家や写真家、音楽家や詩人のように、誰もがただ言葉によって自分自身の創造主になれるのです。

人生を描くリスト

*自分の人生を四季にたとえる

*思いきってやってみたいこと

*あこがれのライフスタイル5つ（仕事と家庭の両立、田舎で暮らすなど）

*住んでいる場所の好きなところ（隣人関係、窓からの眺めなど）

創造力が生みだすすばらしい「夢」

どんなに遠くまで旅しても、私は知りたかったことを学んだとは言えない。
知りたかったことが何なのか、わからなかったのだから。
ただ私は、知りたかったことが何かわからなかったということを
確かに学んだのだ。

――ウィリアム・リースト・ヒート・ムーン

ほかの人のリストは、私に夢を見させてくれます。インスピレーションを与えてくれます。刺激を与えてくれるリストに出合ったら、私も一緒に、目覚め、発展し、探検することができます。

世の中でもっともよく語られるリストと言えば、「もし無人島に暮らすことになったらなにを持っていくか」ではないでしょうか。これ以上に日常から抜けだせる質問はありません。この問いにマリリン・モンローはこう答えました。

「入れ墨をしたマッチョな船乗り！」

そして、「今、自分が持っているもの」と答えた人を、私は知りません。誰だって未来に夢を見ることができるということなのです。

私をもっとも夢見させてくれる本の一冊は、アメリカのクエーカー教徒で作家のフィリップ・ハーンデンが書いた『Journeys of Simplicity（シンプルを追い求める旅）』です。

そこには、イエス・キリストやガンジーのような宗教的存在、巡礼者、宣教師、芸術家、詩人、隠者、大旅行家（有名でも無名でも）が持っていたわずかな持ちものがどんなものだったのかが挙げられています。

それらのリストのひとつ、ウィリアム・リースト・ヒート・ムーンのリストを紹介しましょう。

1939年生まれの彼はアメリカ、スー族出身の作家兼旅行家で、「踊るゴースト」と自ら名づけたミニバンでアメリカ周遊の旅に出ました。

「踊るゴースト」にリースト・ヒート・ムーンが積みこんだものは……。

寝袋×1、毛布×1、食べものに困らないようにと友人がくれたレバーペーストの缶詰だけを入れたコールマンのクーラーボックス×1、ラバーメイド社製の洗い桶とプラスティックの1ガロン容器×1、シアーズ・ローバック社製の携帯用トイレ×1、サヤインゲンの缶詰よりかろうじて大きいオプティマス社製小型ガスストーブ8R×1、料理道具を入れるリュックサック×1、片手鍋×1、フライパン×1、洋服を入れたアメリカ海軍のビーチバッグ×1、工具箱×1、ノートと鉛筆入れ×1、道路地図×1、テープレコーダー×1、ニコンF2–35ミリカメラ×2、カメラのレンズ×5、本×2（ウォルト・ホイットマン『草の葉』、ジョン・G・ナイハルト『ブラック・

エルクは語る』)、紙幣26ドル、ガソリン用クレジットカード×4

今手元にあるものに創意工夫を加え、楽しむ気持ちを持つことで、日常のあらゆる分野で創造力を発揮することができます。

食事を用意するとき、花を活けるとき、旅行を計画するとき、問題にとり組むとき、仕事の段取りをつけるとき……。自分なりの好みを存分に表現しましょう。

リストのおかげで、自分のなかにある壁を乗り越えられます。日常を抜けだし、閉ざされていた扉の向こうへ旅に出ましょう。

創造的な発想がわきだす喜びに身をゆだねましょう。創造とは一種の遊びです。それが、人生の新たな計画やすばらしい芸術作品へとつながることもありえるのです。なによりも自分が喜びを感じるものに集中することが大切なのです。

「夢」を育てるリスト

＊してみたいライフスタイル

＊家を建てたい理想の場所

＊夢見る職業

＊ずっと、または数年間暮らしてみたい国

＊なりたい人物

＊無人島に行くとしたら持っていくもの

＊世界一周の旅に出るとしたら持っていくもの

リストを忘れかけたころに読み返す

自分の夢、内省、経験、それに、お気に入りの引用や詩のリストは、あなたのもっとも大切なコレクションとなるでしょう。こうしたリストは、常に手元に保管しておきたいものです。自分のリストは、楽しみをもたらしてくれると同時に、自分自身を理解するための有能なガイドとなるのです。

リストを読み返す本当の楽しみは、私たちがその内容を忘れかけたころにあります。すばらしい年代物のワインを味わうように、思い出の数々を味わうことができるでしょう。

リストを読み返し、自分自身の人生という歴史絵巻をひもといて、自分が好きだったもの、感動したこと、人生のすべてが次々と目の前でくり広げられるのを眺めるのは、なんと楽しいことでしょう！

美しい人生とはなにか

花も美しい
月も美しい
それに気づく
心が美しい

——禅の格言

人はみな、人生を美しくする力を持っています。しかし、その力を発揮するにはまず、自分にとって「美しい人生」とはなにか、じっくり時間をかけて見つけましょう。

芸術家は、五感から入るものすべてを吸収し、それを自分の作品にとりこんでいます。リストを作ると、私たちも芸術家のように、現実世界のこれまで気がつかなかった部分に目を向けるようになります。

雨のなかを散歩したり、遠くの村にある古い建物や小道を探検したりして、新しい発見をすることは、なんと楽しいことでしょう。

カフェでは、気づいたこと、目にしたものを書きだしましょう。行き交う人たち、聞こえてくる会話、くつろげる匂い、開放的なインテリア……。

あなたのまわりでくり広げられるさまざまなドラマを、無口な見物人になったつもりで眺めてください。毎日、さまざまな出来事が互いに関連しながら起きています。人生とは壮大なシンフォニーなのです。

どこかに行って気に入ったものが見つかったら、「一目惚れ」リストにしてみましょう。小物なら、自分の暮らしにとり入れるのも難しくありません。

映画やインテリアからサラダの盛り合わせ方まで、リストは細部まで具体的であることが肝心です。食べものは舌だけでなく目でも楽しむのです。もしビスケットが好きなら、商品やメーカーの名前とそれを売っているお店の名前を書いてください。その気さえあれば、あらゆるものが人生を美しく輝かせてくれます。美しい人生とはなんでしょうか？　その問いを持ちながら、自分の心を見つめ、本を読み、世の中を観察してみましょう。人生がよりゆたかになっていく過程を感じることができるはずです。

「一目惚れ」リスト

*美しいと思う言葉や表現
*お気に入りのものや場所（カフェや公園、寺院、建築物、映画、花、お香、香水、音、入浴剤……）
*これまでに見た美しい自然の景色（山や川、森林）
*これまでに見た自然からの美しい贈りもの（夕焼け、オーロラ）
*お気に入りの俳句
*街ですれ違って印象的だった人の描写

L'ART DES LISTES 4

五感を磨くリスト

感覚を磨くと幸せの感度が上がる

考えるより先に、五感は働きます。あらゆることは、まずは感覚を通じて伝わってきます。ですから、感覚を磨くと、もっといきいきと時を過ごすことができます。

今、この瞬間、どんな音が聞こえますか？　どんな香りがしますか？　ソファの座り心地は快適ですか？

人生を存分に楽しめないのは、感受性が鈍っているからではないでしょうか？　気になる人がつけている香水の微妙な変化を、あなたは感じとれていますか？

美は日常を彩るものです。美を感じる感覚を磨き、自分がそれをどのように感じているのか、自覚できるようになりましょう。自分の感じている感覚が理解できるようになると、美はさらに味わい深いものとなるのです。

私たちの肉体はまるでフィルターのようです。外界から情報を吸いとるときには、ものごとの本質をもらさず的確に感知するため、音、におい、手触り、イメージを丹念に吟味しなくてはいけません。

感覚は、何歳になっても磨くことができます。ワインを味わい、その味を描写する方法をいくつも知っていること。香りをかぎわけ、香りの変化を感じること。これは決して特別な才能ではなく、いつでも習得できることです。実際、見習い中のソムリエは誰でも、テイスティングしたワインとそれぞれの特徴をリストに書きとめているものです。

ワインの味わいを深く学んでみると、これまで自分の感受性がいかに鈍かったかに驚くことでしょう。

五感を磨くには、まず自分の感覚がどのくらいのレベルかを知り、次に、それを修正し、ときには消し去る訓練をする必要があります。研ぎ澄まされた五感は、より多くの喜びの泉となることでしょう。感覚は、私たちをすばらしい世界へと誘う力を持っています。

視覚の磨き方――何気ないものが美しくなる

かきまさりするもの
松の木
秋の野
山里
山道

冬は、いみじくさむき
夏は、世にしらずあつき

――清少納言『枕草子』

人は、目で見たことから頭にイメージを作ります。この能力は後天的に磨けるものです。

写真家はモデルのもっともよい表情を見つけ、瞬時にシャッターを切ります。シェフは脂が乗ったおいしい部分を見分け、魚をさばくのです。

色のニュアンスを表現するには適切な言葉が必要です。江戸時代の染めもの職人は、鼠色の微妙な色合いを表現するのに100を超える色名を使っていたと言います。イヌイットも雪の白さを表現するための形容詞を15ほども使います。

人は数千もの色の違いを認識することができます。それぞれの色の名前を覚え、的確に表現できるようになることは、知識をゆたかにすることとも言えます。色に関する語彙集を作ることは、カタログを作るようなもので、かたちや大きさについても同じようにすることができます。

私の目を楽しませてくれるものは……。

・流れ星
・夏の空でくり広げられるツバメのダンス
・屋根越しに見るパリ
・蚊がクモの巣にかかっているところ
・ヒナゲシ
・キャンドルの光に照らされたものの影
・雪が降るさま
・くるくる変わる表情

「見る」ことが新鮮になるリスト

＊視覚に関するあらゆる表現（食べもの、芸術、自然などについて）
＊目を楽しませてくれるもの
＊色（グラデーション、濃淡など）
＊かたち（大きさ、シルエット）

嗅覚の磨き方――記憶を誘う香りの楽しみ

しかし、古い過去から、人々が死に、さまざまな物が崩壊したあとに、存続するものが何もなくても、ただ匂と味だけは、かよわくはあるが、もっと根強く、もっと形なく、もっと消えずに、もっと忠実に、魂のように、ずっと長いあいだ残っていて、他のすべてのものの廃墟の上に、思いうかべ、待ちうけ、希望し、匂と味のほとんど感知されないほどのわずかなしずくの上に、たわむことなくささえるのだ、回想の巨大な建築を。

――マルセル・プルースト（井上究一郎訳）

においは、映像や味、音よりもはるかに私たちの埋もれた記憶を瞬時によみがえらせます。においの力で時空を超え、幼少時代や遠く離れた場所へと想いを馳せることができるのです。

また、香水の繊細な香りは、その特別な雰囲気で人を包みこみ、魅力的に演出してくれます。香りは私たちを特別な存在に変えて、自信をもたらしてくれるのです。

香りをセラピーで使うと、気持ちを落ち着けたり気力をとり戻したりすることができ、ストレスや不安と闘う力がわいてきます。アロマテラピーの人気ぶりからも、その力をうかがい知ることができます。

香りは、心の奥深くに埋もれていた気持ちをよみがえらせ、患者に生きる意欲を復活させることもあります。

ダヴィッド・ル・ブルトンの著書、『La Saveur du monde（世界の味）』で紹介されているように、昏睡状態の患者が特定の香りに喜びの涙を流すことさえあるのです。500年前のヨーロッパでは、傷病兵の苦痛をやわらげるために、特別な香りのスパイスを使いました。

今日では、がん検査の結果を待っている患者を、エッセンシャルオイルの香りを使ってリラックスさせる医者もいます。

自分の嗅覚をゆたかに研ぎ澄ますことは、単に「ほかのさまざまな楽しみのうちのひとつ」ではありません。それは、大切な幸せの鍵のひとつなのです。

私が好きなにおいは……。

・製材所のヒマラヤ杉と松
・ニューヨーク、粉塵の舞うグランド・セントラル駅
・友人の猫
・ワックスがけした木材
・マッチをこすったそのあと
・新聞のインク
・パンが焼けているにおいの漂うキッチン

あなたはどうでしょう?

「におい」の感度を高めるリスト

＊特定の場所や特定のものの独特な香り

＊子ども時代の印象に残っているにおい

＊自然のなかで好きなにおい

＊好きなにおいを表現するための語彙(お茶、苔、お香などについて)

味覚の磨き方——深く味わい新しい味に出合う

梨むくや甘き雫の刃を垂るる

——正岡子規

五感が衰えると、感性が鈍くなり、健康を損なうことさえあります。常に五感を研ぎ澄ますことを意識しましょう。

味覚も、ほかの感覚と同じように、磨き、高めることができます。

食べものの味は、一口ごとにゆっくりと味わうことで、そのよさがわかります。ブドウやアーモンド、玄米で訓練してみましょう。

一気に飲みこんだりしないで、まずにおいをかぎ、よく嚙んでゆっくりと味わい、十分に堪能してから飲みこむようにしてください。噛むたびにさまざまな味を発見することでしょう。その感覚をできるだけ的確な言葉で描写してみてください。ビート、コリアンダー、カフェモカは、それぞれどんな味ですか？

自分が味わったものを描写する語彙が豊富になればなるほど、味の微妙なニュアンスを意識できるようになります。シャンパンはラズベリーの味がすることを覚えてはじめて、あらゆる芳香や風味の本当のよさがわかります。自分がこれまでいかに鈍感だったかに驚くことでしょう。

五感から得るものをゆたかに描写することで、知性が刺激され、好奇心が旺盛になります。自分の世界が広がり、新しい楽しみの一つひとつが、新しい経験の一つひとつにつながっていくのです。私が好きな味わいは……。

- 舌の上で弾けるイクラ
- ウーロン茶を飲んだあと口のなかに残る苦味
- 採れたてのキュウリ

・チャツネ（マンゴーなどの果物を香辛料、砂糖、酢などと煮た甘ずっぱいインドの保存食）の舌触り
・少量のチェダーチーズと合わせるレタスの葉のみずみずしさ
・熱々のトーストに載せたよく冷えたフォアグラ
・新鮮なウニのお寿司

あなたの好きなものは？

「味わい」をゆたかにするリスト

＊食べものや飲みものに関する表現
＊はじめて味わう食べものや飲みもの、料理の名前
＊好きな味と好きではない味
＊5つの基本味（甘味、酸味、塩味、苦味、渋味）に分類した食べもの
＊お気に入りの味の組み合わせ

触覚の磨き方――温度や質感が伝わる喜び

幸せとは、触れることでもある。トーマスは裸足で、廊下やドアの前の冷たいタイル張りのすべすべした床から、露の乾いた丸みを帯びた砂利へと通り過ぎた。

――チェスワフ・ミウォシュ『イッサの谷間』

『Geïdô, la voie des arts（芸道――芸の道）』の著者アルベール・パルマは、インタビューで、「五感が目覚めると理性も開花する」と答えています。

触れることは日常的な行為ですが、生きるためにも、コミュニケーションのためにも欠かせないものです。実際、ものや人に触れることは単なるコミュニケーション以上のものであり、愛着や感動、喜びなど、さまざまな感情を表現しています。

触感は、人を興奮させることも落ち着かせることもできます。人間の肌には、百円硬貨の大きさに数百万の細胞があるそうです。触って感じることが、自意識を活性化するために重要な役割を担っていることがおわかりになるでしょう。私たちは触れて感じることではじめて、周囲の環境と自分の存在を意識できるのです。

私が好きな感触は……。

- なじんで柔らかくなった革のジャケット
- マッサージ
- 木いちごジャムに入っている種のプチプチとした歯ごたえ
- 冬、ガラス越しに感じる太陽の暖かさ
- 顔に舞い落ちる最初の雪のひとひら

あなたが心地よいものはなんでしょう？

「触れる」感覚を意識するリスト

＊自分にとって「触れる」とは？

＊触れる喜びを感じられる素材

＊触れると不快に感じる素材

＊自分にとって大切な触り心地

聴覚の磨き方——ひそやかな音にも心ふるえる

五感にもっとも有害なもののひとつに騒音があります。私たちは、一日中さまざまな騒音にさらされています。

そのすべてを排除することは困難ですが、大切な五感のひとつを守り、自分の好む音を楽しむためにできることはあるはずです。

まずは聞こえてくる音のリストを作ってみることで、自分がさらされている音に敏感になり、音環境を改善するために一層の配慮ができるようになります。

あまりに多くの音の暴力が、気づかないうちに日常に入りこんでいます。政府はタバコの有害性と同じように、もっと騒音の有害性を知らせるべきなのです。

いっぽう、日ごろ気にしていなかった日常出合う好ましい音も一度意識してみましょう。

私が好きな音は……。

・雪を踏む音
・波音
・フクロウの鳴き声
・傘やテントに落ちる雨音
・枯れ葉のじゅうたんを踏みしめたときの乾いた音
・たきぎのパチパチいう音
・霧がかかったテムズ川を行く船の警笛

あなたの好きな音は？

音に敏感になるリスト

＊とり除きたい騒音（電話の呼びだし音、マジックテープをはがす音、椅子を引くときの不快な音など）

＊地域の騒音（新しい場所に引っ越すときには特に忘れずに）

＊聞いて心地よい音

＊特定の場所で好きな音

＊特別な想いで聞く音

五感のハーモニー

中国茶は、専用の茶器で味わうのがいちばんだと思ったことはありませんか。

1年ぶりに味わう初春のアスパラガスの満足感は、冬に食べても得られないものです。焼き栗も、栗を焼く薪の火を眺めると、喜びは五感に染み渡ります。

このように五感を研ぎ澄ますために、一つひとつの感覚を別々に味わうのは大切なことです。しかし、五感の組み合わせ次第では、さらに趣きのある暮らしができます。

ハーモニーを奏でる組み合わせを見つけ、三重奏にしてみましょう。

私にとっての「楽しみの三重奏」はこのようなものです。

・マッサージ、お香、心地よい音楽

・コーヒー、ミントチョコレート、タバコ
・ひじ掛け椅子、フロアスタンド、うずたかく積まれた本
・山へのピクニックで、ヤギのチーズ、ブラウンブレッド、ほんの少しのブランデー

組み合わせを考えるだけで、充足感が広がってきます。

L'ART DES LISTES 5

自分と人生を
もっと好きになる
リスト

なぜ自分探しをするのか

己を知る者のみが己の主人となり、
王国を持たなくとも、真に王となります。
——ピエール・ド・ロンサール（高田勇訳）

「あの人は、自分のことが本当にわかっているのだろうか？」と思うことはありませんか？

一方であなたは、自分のことが「本当に」わかっていると言えますか？

私たちは自分自身を客観的に観察しているつもりでも、じつは自分に都合よくしか見ていません。自分の望みや、社会での役割にふさわしい姿でありたいと思うことから、鏡に映る自分の姿をゆがめてしまっているのです。

めまぐるしい生活のなかで、本当の自分が忘れられています。それが、常に心が満たされず、自分の存在価値を感じられない理由なのです。

人生を振り返り、これまで漠然としていた自分の考えや信念を整理することで、本当の自分を見つけられます。アイデンティティを確立できると、それをよりどころとして、自分の人生になにを望んでいるかも明確にできるのです。

自分を見いだすために「自分リスト」を書きます。

そうはいっても、自分のすべてを知るのは不可能です。私たちは同時にさまざまな面を持っているからです。それでも謙虚に、自分というジグソーパズルのピースをひとつずつ組み合わせていくことは、自分探しの第一歩となります。

ときにつらく、終わりがないようですが、自分探しは大いに価値あることです。人生とはなにか、自分の真の姿とはなにかを自覚するという、もっとも大切なことから目をそらさないために、日々の暮らしを見つめ、変化を感じていくことが欠かせません。

目に見える自分と見えない自分

何かを頑なに信じこんでしまうことで、現実が見えなくなってしまう。「信じこむ」ことは、サングラスで世界を眺めるようなことで、自由を奪います。「信条」だとか、「姿勢」、「評価」、「恥辱感」などの罠にはまってしまうと、大きな生命力はおしつぶされる。

――レイチェル・ナオミ・リーメン（藤本和子編訳）

ヨガでは瞑想をとても大切にしています。私の師はいつも、目を閉じて心を穏やかにし、「自分自身」に寄り添って、自分の外側からそっと自分が瞑想する姿を見つめるようにと指導していました。

「自分のすべてを観察してください。爪、姿勢、考え、日々の暮らし……」、師の穏やかにつぶやくような声に導かれ、私は自らを見つめる瞑想の世界へと入っていったのです。

これを内観と言い、自分が自分を観察するという作業です。自分の体と対話し、内なる声に耳を傾けます。

内観訓練を積むと、大切なのは、目に見える自分ではなく内なる自分、すなわち、自分のすること、言うこと、考えること、感じることなのだとわかってきます。自分自身の観察者となるこの技術を磨くことは、内なる自分をしっかりと自覚することにつながります。

あなたが観察しているのはどのような人物でしょうか？　どんな決断をする人ですか？　情熱や愛情を注ぐものはなんですか？　これまでどんな経験をしてきたでしょうか？　ジャズは聞きますか？　犬は飼っていますか？　よく読むのはどんな本でしょう？　自分の人生を小説に書いてもらうとしたら、どんな作家を選ぶでしょうか？

私たちは、自分の暮らしや行動を何度も軌道修正しながら道を見つけていきます。手探りで見つけていくことで、自分がこの世に生きている意味を理解し、自分が自分であることに安心できるようになるのです。しかしそのためには多くの経験を積み、自分の人生を観察し、それを自分なりに解釈して、内なる自分を深く見つめることが必要です。

これまでの人生から得た経験、知識、知恵、ノウハウ――、リストを作ることでそのすべてを問い直し、つなぎ合わせて整えなければなりません。

リストに記された一つひとつのことは、それがどんなにとるに足りないものでも、鏡に映る姿よりもはるかに忠実に自分の姿を映しだすことでしょう。すなわち、リストの一つひとつによって、自分の人生を新たな見方で見つめ直すことになるのです。

リストを作るとまるで魔法のようなことが起こり、よりゆたかで充実した自分らしい暮らしが営めるようになります。

リストが真実を浮き彫りにする力ははかりしれません。

たとえば、あなたがよくおつきあいしている人のリストの大半が芸術家だったとしたら、じつはあなたも芸術家の素質を持っているのかもしれません。それならば芸術活動に身を投じてみませんか？　これまで意識したことがなくても、それがあなたの天職である可能性だってあるのです。

頭上に11の顔を持つ仏像

ぼくが矛盾しているのかい、
それならおおいに結構、ぼくはたっぷり矛盾してやる、
(だってぼくは大きくて、中身がどっさり詰まっているんだ)
——ウォルト・ホイットマン(酒本雅之訳)

日本には数多くの仏像があります。なかには、頭上に11の顔を持つものもあり、その顔は、すべてが異なる感情を表しています。

あなたが笑顔で振る舞っているときに、その裏に怒りや悲しみ、不安、つらい思いを秘めていることはありませんか?

人はさまざまな面を持っています。本質である揺るぎない部分、日々、他人とかかわる部分、若いころの自分、勇気ある自分、臆病な自分、大人の自分、子どもの自分、心の広い自分、嘘つきの自分、正直者の自分、陰気な自分、陽気な自分、芸術家の自分……。

社交パーティーと友人同士のパーティーに参加しているのは、同じ自分でしょうか？　男性の前と女性の前では？　お腹が空いているときと満腹のときでは？

これらの「自分」は私たちの持っている多面性の一部でしかないのです。

もちろん人は変化し、絶えず成長するものですが、本当の自分、つまり人の本質は変わりません。

では、どうすれば本当の自分を見いだせるのでしょう？

自分自身をよりよく知り、ものや写真よりも効果的に歩いてきた道のりをたどるには、リストのかたちで自分の人生の「年鑑」を作るとよいでしょう。

過去と現在はもちろん、なりたい将来の自分をまるでパッチワークのように継いでいくことで、自分の全体像が浮かび上がってきます。

一ヵ所に集約されたリストはまさにあなたそのものであり、あなたの未来予想図でもあるのです。

自分の多面性リスト

*子どものときに好きだったこと

*自分の長所と短所、性格

*なりたい人物像

*願望

*自分が期待していることと後悔していること

*影響を受けた人物

*自分が受けた教育

*自分の履歴書

*今までに行った旅行先

＊今までに暮らしたことのある場所

＊これから暮らしたい場所

＊夢見ているライフスタイル

＊他人に持たれていると思われるイメージ

シンプルな目が答えを見つけだす

今この瞬間の考え方や語る言葉があなたの未来を作っているのだ。

――ルイーズ・L・ヘイ（水澤都加佐監訳）

日々、人生は選択の連続です。選ぶことイコール人生を作ることだと言えます。そのとき、リストは一種のセラピーの役割を果たします。

書くとは、自分と対話することなのです。

書くことで自分自身を深く見つめ直し、欠けている点や衰えつつあることを見いだせるようになります。それは、自分の視野の狭さを知るきっかけであり、自分の内面やまわりで起こっていることを自覚することにつながります。そうすることで、新たな選択ができるようになるのです。

ある日本人が「読んだり書いたりする目的は、よりよく生きることにある」とテレビ番組で語っていたことがあり、以来、この言葉が私の心にずっと残っています。読んだり考えたりすることが成長に欠かせないことだとすれば、書くことはとりわけ考えを明確にするのに役立つことだと言えるでしょう。

たとえば、読書ノートをつけると、気になったアイデアを自分のものにすることができます。読み終わった本をただ本棚に戻すよりもはるかに深く、自分のなかに残ります。

そのときどきの気持ちやアイデアを書きとめたノートやメモ、ポエム。書くことで、移りゆくものを記録に留めることができ、リストを作るための貴重な下書きとなります。そうしてできたリストは、あらゆる分析のための強力なツールとなるのです。

リストは、気づきリスト、不安リスト、怒りリスト、責任リストといった項目にわけてみましょう。自分を客観的に見ることができ、同じ過ちをくり返さないように変わっていく、つまりフィードバック効果を得ることができます。

まず、自分に関する気づきをリストにすることから始めましょう。長所や短所、また、怒りや葛藤を感じたときの自分の反応を書きだしていきます。くれぐれもそのときの自分を責めてはいけません。

1　弱点だけでなく、不安や怒り、疑問にも目を向け、自分の内面で起こっていることを自覚し、それを受け入れる

2　必要なら自分を改めたり変えたりする

3　自分を変えないとしても、行動の結果は素直に受け入れる

4　すると、欠点や弱点は、意識的に自分のアイデンティティの一部となっていく

5　自分のしたことが自分にとってマイナスだったと気づくことができたなら、

その「気づき」が自分の落ち度や苦しみに対処する方法を教えてくれる

このリストは、周囲の人々や社会に対して見せていない、マスクの下に隠れた本当のあなたをあらわにします。自分だけが知り得る本当の自分を受け入れ、愛してください。自分に寛大になってください。自分を愛と思いやりをもって見ることが大切なのです。かつてのあなたにはできなかったとしても、今のあなたならものごとを客観的に見ることができるはずです。

人生に無駄なことはないのです。悩むことも、本当のことが見えないことも、あなたにとって必要なことだとのちにわかるでしょう。

自然界のあらゆる出来事のように、私たちは絶え間なく変化しています。完璧な存在になる必要などないのです。私たちがどうあるべきか注文をつける人はいません。あらゆる矛盾を抱えているのが人間というものだからです。

大人になるということは、過ちを自覚することであり、内面に潜むあらゆる自分と最大限調和して生きていくように努めるということなのです。

リストと人生の羅針盤

「自分の人生は自分がいちばんよく知っている。だから、自分の人生をこと細かなリストにして、それを省みるなんて時間の無駄だ」と思うかもしれません。

しかし、これは十分にやってみる価値があることなのです。

人生のリストを作ることは、言うならば人生をまとめて見渡すパノラマビジョンを作ることです。このパノラマは、私たちの人生がどのように展開してきたのか、その原因から結果に至るまでを、明快に示してくれます。

今まで偶然だと思ってきたことが決してそうではなく、まさに自分自身がそのシナリオを描いてきたことに気づくかもしれません。あるいは逆に、自分がその置かれた環境に操られていたことに気づかされるかもしれません。

現代社会に生きる私たちは、さまざまな固定観念にとらわれています。哲学や政治、宗教などもそうですが、そこまでいかずとも、私たちは、「常に進化しなければいけない」「新しい考え方を学んでいくべきだ」というような考えに対し、疑問をはさむ余地もありません。そして、誰もがストレスと悩みを抱え、周囲からとり残される不安に駆られています。

そのせいで、もうなにを信じていいのかわからなくなり、途方にくれ、どう生きればいいのか見失ってしまいます。けれども、本当の答えは、自分自身のなかにあるのです。

困難や危機に直面したときに大切なのは、落ち着きを保つことであり、惑わされずに集中することです。これは一人ひとりにも、社会全体にも言えることです。

周りの環境がどれほどきびしくなったとしても、そのネガティブなエネルギーに影響されて我を忘れてはいけません。つらくきびしい状況にあるときに、自分のなかに救いを見つけることができたなら、それは私たちが手に入れられる、もっとも確かでもっとも信頼できるものなのです。たとえば、職場で理不尽な扱いを受けているときにでも、しっかりと自分を見失わずにいられたなら、解決の道は必ず見つかります。

書くことで、より力強く、また前向きに生きることができるのです。心を落ち着かせて自分の行く先を定め、集中力を高めましょう。

自らの言葉は人生の道連れであり、あなたを守るガードレールでもあります。ほんの小さな一言が、自分が生きていることを実感させてくれることにあなたは驚くでしょう。

リストを作ることとは、整理することです。リストはシンプルにものごとを考えるためのツールなのです。行動したこと、感じたこと、夢――どんな小さなことでも書きとめていくことで、人生観を研ぎ澄ますことができます。本当の自分を見いだそうと常に意識することで、己のなかの答えにたどり着くのです。

それは、内なる自分と外の世界を理解するための、自分専用のバイブルとなるでしょう。世界はとてつもない速さで移り変わりますが、リストは普遍であるがゆえに自分の人生の羅針盤になるのです。

人生の羅針盤となるリスト

*キャリアプラン
*住まいの計画
*自分の知識や財産
*頼りにしている人
*尊敬する人
*貴重な経験を通じて得てきたこと
*人生の挫折（失業、離婚、失恋など）から抜けだすためのアイデア
*心の支え（心に響く言葉の引用など）
*ある状況に置かれるといつも感じること
*もう二度としたくないこと

優先順位を見直す

「複雑なことを学ぶよりまず、風や雨、雪や月から送られてくる恋文を読むことを覚えましょう」、と一休宗純が述べていたと記憶しています。

人は誰しも自分の感情をコントロールすることができます。それは、ものごとをありのままに見つめることで可能になるのです。

リスト形式で人生を振り返ることで、自分が人生で背負っている、大人としての責任に気づくことができます。

書くこと、自分に問いかけること、よく考えること、そして、自分をしっかりと見つめることによってしか、心の平安や生きる喜びは得られないと心に留めておくことが、私たちには必要です。

自分の可能性を活かす道を見つけることは、自分にしかできません。そのためには、じっくりと時間をかける必要があります。その場しのぎの解決法に飛びつくと、いずれ問題はもっと複雑になり、解決が難しくなっていきます。

私たちがなぜ生きるのか、この人生で背負っている宿命はなにか、成熟するために立ち向かわなければならない試練はなにかを、自分の代わりに教えてくれる人などいないのです。

いっぽう、背負わなくていいこともあります。もっといきいきと身軽に生きるために、優先順位を見直すことが大切です。生きるということは、まさにそういうことではないでしょうか？

「責任」リスト

＊人生において、自分が責任を負うこと

＊自分に責任がないこと

＊自分が責任を負いたくないこと

「重荷」リスト

＊よりいきいきと、身軽に生きるために、背負わなくていいこと

＊絶えず気になっていることとその理由

＊心に秘めていることとその理由

もう自分に嘘はつけない

リストを書くことは、より明確に、より深く考えることです。自分自身で言葉を選び、決断をくり返すことで、徐々に自分にとって正しい選択をすることができるようになるのです。

たとえば、今この瞬間あなたの目の前にあるテーブルを描写してみてください。かたちや構造はどのようなものですか？　あなたはこのテーブルからなにを思い起こしますか？

自分の考えを言葉にすることは、漠然とした考えをかたちにするための有効な方法です。書きとめないと、考えはぼんやりしたままであることがほとんどです。考えを整理し、言葉にすることによって、思考を「自分のもの」とする方法を学びましょう。

記憶やメモをリストのかたちにすることは、ものごとを完全にはっきりとさせる訓練となります。リストにすることで、だらだらと書くことができなくなるからです。リストというシンプルな形式にすれば、もう自分に嘘をつくことはできません。

表現できないと思うものさえ、そのとき、自分に浮かんだ言葉を書きつらね、そして、待つのです。何週間でも休ませておくのです。思わぬときに、ぴったりな言葉や表現がひらめくことでしょう。

漠然とした気持ちを表現するリスト

＊今のところうまく表現できない気持ちや問題が起きる状況
（あとで書き込めるように、片側を空欄にしておく）

＊気持ちに関する言葉や表現の「コレクション」

＊これまでに気持ちを表すのに役立った表現や用語の一覧

＊漠然とした気持ちを絵（イラストやマンガでも）で表現してみる

人生という一冊の本の著者になる

日付、場所、時間を書く。そうしてから、ささやかなことや考え、昨日や今日の気持ちをたくさん、記録——この言葉が好きなのだが——し始めるのだ。私は時間の書記、私の人生の書記となるのだ。（中略）痕跡をとどめるという魅惑。（中略）過去や体験、感じたことの記録。（中略）自分の、他人の、世間の知識を豊かにする。

——フィリップ・ルジュンヌ編纂『"Cher cahier..."（親愛なるノートへ）』

リストのような短い文章を書くには、自分自身としっかり向き合うことが必要です。

自分の幸福と不幸を描きだすこと、現状をはっきりさせること、自分の限界を知ることで、人は変わろうという気持ちが高まります。

書くことによるセラピーでは、まず、人生が一冊の本なら、著者は自分自身であるということを自覚させられます。そして、人生について書くことで、より積極的に、より満足感を持って生きることができるようになるのです。

書くという行為は、心を鎮めるだけでなく、心を解明するのにも役立ちます。

幼いころの思い出は、どのような大人になり、どのような考え方をするようになるかということに大きく影響します。ですから、自分の生きてきた歴史を振り返ることが大切なのです。

今までにしてきたことをリストにするだけで、これからの人生の質は、はるかによくなっていくことでしょう。

まず、過去の影響から解放されます。過去を整理して組み立て直したり、「創造」したりすることも可能になり、それは未来に立ち向かうための大きな力となります。

人生には成功もあれば失敗もあります。失敗が結果的に成功を育んでいたことにも気づくでしょう。

自分の歴史に意味が見いだせる瞬間かもしれません。運命が誰のものでもなく、自ら作りあげているのだと実感できたとしたら、このことは大きなエネルギーをもたらします。

これらのリストを作るうえでもっとも大切なのは、自分に嘘をつかないことです。たとえそれが自分を傷つけることであろうとも、苦しいことであろうとも、自分に常に正直であるように努めてください。

自分で隠してしまいたいような、戸惑うようなことを書くのも、恐れないでください。でなければ、前へ進むことなどできません。出来事を紙にはっきりと書きだすことは、まるで頭のなかのモヤモヤした考えに松明（たいまつ）を灯すようなものなのです。

本当の自分と向き合うためのリスト

次のリストのなかには、「対照リスト」形式で書いたほうがよいものがあります。

紙の真ん中に縦の線を引き、左右にそれぞれ「長所」と「短所」を書いたり、「自分の限界」ならば、実際に経験した出来事とそこで感じたことを、左側に「事実」、右側に自分なりの「解釈」、などと書いたりすることもできます。

*自分の長所と短所

*自分の限界

*自分の弱点

*恐れていること

*不安を感じること

＊頻繁に頭に浮かんでくるイメージ

＊不快に思っている相手に言えるなら言いたいこと

＊今はまだ心づもりができていないけれど、いつかはしたいこと

＊人生に影響を及ぼし、行動を促された出来事

＊成功と失敗の自分史

成功体験のリストが成功を呼ぶ

おそらく、たった一つの病気しかない。
それは、本当の自分ではないという病気だ。

――イヴ・ルヴォー、作家

私たちは、本当の自分でいるというただそれだけのことが、なかなかできないものです。
道教では、「外界から圧迫されると自分らしさがなくなってしまう」と教えています。本当の自分でいるためには、プレッシャーやストレスをなくし、適度な心の余裕を持つことが必要なのです。

人には、それぞれの長所と価値があります。自分の長所を知り、自分自身をきちんと把握しなくてはいけません。さもなければ、自分をとり巻く環境に影響され、まわりが望む姿になろうとして、ときに自分の幸せに反した行動をとってしまうのです。

リストは私たちに、自分という存在は唯一無二であること、それぞれの人生にはそれぞれの意味があり、誰もが常に前進していることを思いださせてくれます。

自分の長所をリストに書きだし、「自分の証」を作りましょう。同時に、自分への約束をリストにすることもできるでしょう。

明確なリストができたなら、行動にうつすのは難しくありません。もし解決するのが難しい問題だとしたら、小さく分割すると、よりたやすく克服することができます。こうすることで、自分の人生を自分が望むように生きていることを実感できるのです。

自分の成功をひとつずつ書きとめることは非常に重要です。これまでに収めた成功の記録は、成功する力とあきらめない気持ちを強化するのにとても効果的です。成功を記憶のなかだけにとどめず、はっきりと書きとめて絶えず目にすることのできる状態にしておくことで、はかりしれないほどの力が得られるのです。

書きとめないでおくと、新しい刺激があったとき、それが大した刺激ではなくても、ネガティブな刺激であっても、成功体験は簡単に忘れ去られてしまいます。

自分の成功を書くと、自分で自分の可能性や力を信じることができます。古いことわざにあるように、成功はさらなる成功を呼ぶのです。

「自分の証」リスト

＊自分のすぐれた点や自分のなかで価値があると思うところ

＊ほかの人とは違う自分の精神的特徴

＊自分の長所
＊誇らしく思う50のこと
＊これまでに学んだ専門や積んだ経験
＊自分の才能
＊まわりの人に好かれていると思うところ
＊ほかの人に提供できるもの
＊自分を必要としてくれる人々
＊自分がなにかをもたらすことができた人々
＊自分を好いてくれる人々、その人たちに好かれている理由
＊自分はどういう人物か
（この場合、「持っている」という動詞を使わないように努めてくださ
い。友人、資格といった目に見えるかたちで持っているものではなく、
あなたが本質的にどういう人物かということだけをリストに挙げてくだ
さい）

＊自分がただ「存在する」ためにできること（自然のなかをひとりで歩くこと、ガーデニング、スイミング、夕日を見ること、音楽を聞くこと、パンをこねることなど）

＊これからしたいこと（期限と方法）

＊もう二度と言わないこと

＊もう二度としないこと

L'ART DES LISTES

6

悩みから解放されるためのリスト

毒のある実を育てていませんか？

一生涯を優柔不断に満足することなく過ごし、その結果、無気力だったり絶えずなにかを心配していたりする人がいます。このような人たちは、自分のネガティブ思考がどれほど自分の健康状態やまわりの環境に影響を及ぼしているか、わかっていません。自分が何回ため息をついたり、批判したり、弱気な発言をしたりしているか、気づいていないのです。

そうした思考は種のようなもので、ネガティブ思考という栄養を与えることで、あなたのなかで大きく育ち、毒のある実を結ぶのです。

自分のさまざまな思考をしっかりと意識するために、にぎやかな場所に行って、行き交う人を眺め、自分の反応を観察してみてください。ただ見知らぬ人々を眺めているだけなのに、目にしたあらゆるものについて判断をくだし、願望や苦痛、無関心、ねたみなどを感じていることに気づくでしょう。

あなたの人生全般における、ネガティブ思考の影響力を考えてみてください。

あなたのなかにどのような感情を生みだしますか？　言動にはどのような影響を及ぼすでしょうか？　ネガティブ思考はあなたの人生を駄目にしこそすれ、ゆたかになどしてはくれません。くだらない考えはそれを意識することで捨てられ、そうすることであなたは強くなっていきます。

多くの人は、心がどれほど現実に影響するか、想像もしていません。思考の一つひとつは、ごくわずかであってもなんらかの感情的な反応を生みだし、私たちの言動を変えています。ネガティブな思考は、人生の質を悪化させるのです。

カフェや公共の場で作るリスト

＊自分が眺めている人たち（対照リスト形式で、左の欄）と、

その人たちを見て抱く思考や感情（右の欄）

＊日々のなかでふと頭をもたげてくるネガティブ思考

ポジティブな言葉の力を知る

ルイーズ・L・ヘイは、著書『すべてがうまくいく「やすらぎ」の言葉』のなかで、がんを患った自分が医学的治療を受けるかたわら、今とは違う未来像をポジティブに描くことで病を克服したと述べています。

確かに勇気づけられる言葉ではありますが、誰もがこのようにポジティブな思考だけでがんを治すことができるわけではありません。

それでも、ネガティブな思考をとり除き、ポジティブに考えることには大きな意味があります。

ルイーズは「しなければならない」「できない」といったネガティブな言葉を使わずに、「したい」「できる」といったポジティブな言葉を意識して使うことを勧めています。そして彼女は、言葉はとてつもない力を持っていて、ときに国家を動かし、また病気を治すこともあると説いているのです。

言葉は、頭のなかで何度もくり返されることで現実となっていきます。考えることがモチベーションを生み、行動につながります。言い換えれば、アイデアは果物の種のようなもので、栄養を与えることで根をはり、実を結んでいくのです。

アイデアにとっての栄養とは、興味を高めていくことです。単なる思いつきからどんどん関心が高まり、それがゆたかにふくらんでいったとき、アイデアは実現へと近づいているのです。

自分が被害者意識を持ってしまう対象をリストにすると、キリがありません。病気、貧乏、仕事、家庭……。あなたは自分を選択肢のない犠牲者だと考えていることでしょう。けれども、自分で作りだしたことは、自分で壊すこともできるのではないでしょうか？

このとき、失敗や挫折の経験が役に立ちます。過去の過ちはそれが自分の思いこみであると気づかせてくれます。過ちは、この先よりよく生きるための教訓であり、正すことができるものなのです。そう考えられるようになるには、まずネガティブ思考を追い払う自分だけの処方箋があるといいでしょう。次のようなリストのテーマがヒントになるはずです。

ネガティブ思考を追い払うリスト

＊ポジティブな文章（力をくれる言葉など）
＊夢中になれる楽しいこと5つ（音楽、本、映画など）
＊考えすぎないために気分転換になること（好きな香りなど）
＊自分が知っている生まれつき陽気な人
＊にぎやかで楽しい場所

気持ちを整理する

自我を守り、自信を保ち、落ち込む気持ちと闘うために、私にはすぐれた表現力が必要だった。

――フィリップ・ルジュンヌ編纂『"Cher cahier..."（親愛なるノートへ）』

リストはあなたに、自分をコントロールする力を与えてくれます。リストを作ることで、これまで自分のなかでごちゃまぜにしていたことが整理され、大切なものがなんなのかを意識できるようになります。人生の大波に溺れることなく、穏やかな気持ちで楽しく生きていくことができるのです。

自分を客観的に見つめるために、誰かの助けが必要ということはありません。

書くことで、苦しみや困っていることをとり除いていけるのです。

今、あなたが感じているネガティブな感情を客観的に観察してみてください。それぞれの感情は感情でしかないので、よいか悪いかなど考えず、観察者に徹するのです。

不思議なことに、悲しみや不安、恐れの気持ちは、それを観察し、書きだしていくとすぐに消えてしまいます。漠然とした負の感情をはっきりと書きだすことで、それは自分の外に出ていくのです。

客観的になることで、具体的な解決策が見つかる場合もあります。ネガティブな感情を持ち続けるのではなく、言葉に書きだして手放しましょう。こうすることで、そこにとどまって悩み続けることなく、すっきりと別のことにとり組めるようになるのです。

気持ちの整理リスト

*今感じている気持ち

*陥りやすい気持ち

*振り回されがちな気持ち

*自分を苦しめる人たち

*傷つけられた出来事

*あきらめざるを得ないものごと

*苦しみから得た教訓

*今後、気持ちに振り回されずにすむ方法

負のエネルギーとのつきあい方

不安、いらだち、怒り、心配、恨み、嫉妬、悔しさなどは、負の精神エネルギーに満ちあふれている状態です。それをコントロールしてよい状態に戻すことは不可能なことではありません。

ただそのためにはまず、それがいったいなんなのかを特定しなければなりません。問題の本質が特定できれば、禅で言われるように、変化は自ずと生じるのです。

その過程は庭仕事に似ています。庭仕事では、雑草をとり、挿し木をし、刈りこみや剪定をし、芽が出るよう水をやります。人生においても同じことです。まず、私たちが成長するのを妨げていることをとり除く作業から始めなければなりません。そのためには、それがなにかを特定しなくてはいけないのです。

ふだん意識してはいませんが、私たちはみな、「内なる力」を持っているのです。その内なる力を使って人生について考えることで、もっと自分の人生に責任を持てるようになり、新たな進展も期待できるようになります。

「心を軽くする」、まさにそのためにリストがあるのです。不安や心配ごとを整理して、不要なものは捨ててしまいましょう。

西洋では、多くの人が不安は人生に刺激を添えるものだと考えていて、なかなか不安を手放したがりません。とはいえ、自分たちを苦しめたり衰えさせたりするのが不安であることもわかっています。

自分をかき乱す感情をきちんと自覚するための唯一の方法は、どんな理由からそのような気持ちを持ったのか理解しようと努めることです。ネガティブな感情をなくす必要はありませんが、きちんと自覚することは大切です。自覚できていれば、次にネガティブな感情がわいてきたときに、衝動的に行動しなくてすむのです。

ネガティブ思考は、体も衰弱させます。私が風邪をひいていたのは、決まって口論、侮辱、挫折などのトラブルのあとでした。心配ごとがあると、その思考が血液を酸性にする物質を脳内に作り、免疫システムに影響を与えると説く医者もいます。

他人に対して、常に自分が正しいと主張することはやめ、思いやりを忘れないようにしましょう。そうすることで不要なしがらみから解き放たれ、面倒な問題に振り回されなくてすむようになります。不安にかられることなく、明るく夢見ることができれば、より一層幸せになれるでしょう。

「心をかき乱すもの」リスト

＊職場の人や友人との人間関係

＊近親者との衝突理由

＊親密なのにまだ信頼しきれない関係（3ヵ月前に出会った恋人など）

＊他人について批判したり変えさせようとしたこと

＊自分がコントロールできることではないのに変えようとしていること
＊外からの刺激（騒音による疲労など）
＊体調にかかわること（よい眠りが得られなかった夜、お酒の飲みすぎなど）

不安を整理するためのリスト

＊もっとも心配なこと
＊人生に影響を与えている不安
＊直面しているトラブル
＊そのトラブルによって引き起こされる感情
＊理想的な解決法、または代替案

恐れや不安を追い払うヒント

病気になるのではないか、事故に遭うのではないか、大切な人を失ってしまうのではないか……。人はさまざまな恐れを持つものです。しかしどんな恐れも、紙に書きだすと、それほど恐ろしいものではないということに気づきます。

ここでも対照リストが役立ちます。左側に恐れていること、右側に「建設的な解決策」を書いていきます。すぐに解決策を見つけなければならないわけではありません。恐れを一度書きだすと、意識せずとも自動的に解決策を探し始めるのです。

解決策は思ってもみない瞬間に浮かんできて、恐れを抑える方法を見つけることができます。実際、この手法は精神分析においても時に応じて使われているのです。

漠然とした不安については、その対象を特定することができないかもしれません。しかし、その不安を、いつどこで、どのような状況で感じたのか思いだし、それをリストにすることはできるでしょう。

恐れや不安を追い払うためのリスト

＊気にしていること（対照リストで）
＊恐れていること（対照リストで）
＊自分の不安
＊よく頭に浮かぶイメージ
＊不安なときでもできること
＊不安を感じたときに読み返すべきリスト

心に波風が立っているとき

仏教の根底には、万物は常に変化するという考えがあります。この世には変わらないもの、無駄なものなどありません。困難を克服するごとに、人生はよりよいものとなるのです。

言葉はものごとを固定させてしまうので、常に変化している私たちの本質を映しだすことはできないと主張する人もいます。しかし、人生には抽象的な支えだけでは不十分な瞬間があります。

リストはそんなときに支えとなってくれるのです。自らの問いに対する答えを与えてくれるだけでなく、悲しいとき、憂鬱なとき、落ちこんだとき、いつも確かな支えとなってくれます。

人生は嫌なことばかりではないこと、常にベストコンディションでいられるわけでもないこと、ネガティブな気持ちの波が通りすぎるのを待つことも必要だということを思いださせてくれるためにリストはあるのです。

自分の楽しみを一覧にしたリストをときどき読み返すことは、薬箱の蓋を開けて痛みに必要な薬をとりだすようなもので、瞬時に満ち足りた気持ちを呼び起こしてくれます。

あなたのリストは、いざというときの心の薬でもあるのです。

心に波風が立っているときに、リストのページをめくること以上に元気を呼び戻してくれるものはありません。人生の幸せな瞬間や自分の愛するもの、今は不可能でもいつかきっと実現する計画……。すべてはバッテリーの火花のようにきらめいて、あなたを救いだすきっかけとなるのです。

無気力、不安、落ちこみ……。こうした精神状態の多くは、ねたみやそねみ、怒り、恐れ、罪悪感などのネガティブな感情や、心身の乱れによって引き起こされます。弱気にならず、しておかなければならないことのリストを、今すぐに作ってください。

次に、リストのなかからできそうなものをひとつ選んで、ためらうことなくやってみましょう。

自分の家から外に出て、展覧会や映画を観に行ったり、植物の鉢替えをしたり、洗車をしたりするのです。家にこもらず、とにかく外気にあたりましょう。うまくいかないとき、私たちはじっとしがちなものです。そんなときは、ますます気力がわかず、風のない日の凧にでもなったように感じるのです。

心の波風を追い払うためのリスト

＊つらいときに助けてくれる心地よいこと

＊今しなければならないこと

＊自分にエネルギーをもたらしてくれる人やもの

＊自分の将来の計画（旅行、休暇、人生プランなど）

＊無気力状態から直ちに抜けださせてくれる大好きなこと

顔がいきいきする朝の習慣

油火のうつくしき夜やなく蛙

——小林一茶

アメリカの著名なセラピスト、トリスティン・レイナーは、『The New Diary（新たな日記）』のなかで、書くことによる治癒の効果を説き、恐れや悲しみを自由に書くことによって、精神を浄化することを勧めています。

トリスティンは、苦痛を書きだすことは感情のバランスをとり戻すことにつながり、人生を破滅の道から救うと説いています。

また、アメリカの西海岸に住む人たちのあいだでは、朝の30分を書くことに使うと、顔をパックする以上に表情がいきいきすると言われています。気分がよくなると、それが顔に表れるからでしょう。

創造性を育てる方法を提唱し、自身もアーティストであるジュリア・キャメロンも、自著『ずっとやりたかったことを、やりなさい。』（菅靖彦訳）で、毎朝手書きで3ページずつ書くことを勧めています。彼女はそれを「モーニングページ」と呼んでいて、こんなふうに説明しています。

「この、日々の気楽な作文は、芸術をめざすものではない。作文とさえいえない代物だ。（中略）他人の目には触れさせないものなので、その内容は書いた本人であるあなた以外にはわからない。あなた自身も最初の八週間ほどは、それらを読み返さないようにしよう」

モーニングページは、自分のなかにある抑えがちな感情をすべて表現することが目的です。自己顕示欲を満足させるために書くのではなく、むしろ逆に、おごりを一掃し、無意識の心の汚染を浄化するために書くのです。

後日、書きだしたものをリストにしてみましょう。リスト化で自分の考えを整理することは、精神の浄化作業と同じくらい重要な作業です。心によぎった考えを、とにかく思うままに書きだして精神を浄化したら、思考を整理してわかりやすいリストにすることが大切なのです。

自分の考え方を知るためのリスト

*日中、ふと浮かぶ考え
*眠りにつく前に思いつくこと
*眠れないときに考えること
*怒っているとき、満たされないとき、不安なときに考えること
*自分が最高に上機嫌なときに考えること

L'ART DES LISTES 7

恋愛の苦しみを昇華するリスト

なぜ、寂しいのか

ほかの人の理解の仕方を取り入れることは、
その人の世界に入り込むための最良の方法である。
——リチャード・バンドラー、
神経言語プログラミング（NLP）専門のすぐれたアメリカ人医師

自らの人生を書きだし、今に至ったさまざまな出来事のつながりを知ることは、自分とまわりの人との関係をよりよく理解することです。それはまた、これまで周囲からどのように愛され、励まされ、あるいは避けられてしまったのかを振り返ることでもあります。

恋愛に悩みはつきものです。葛藤で自分を見失わないでください。自分をごまかして、寂しさを他人のせいにしないでください。誰かがいないから寂しいのではなく、自分をしっかり持っていないから寂しいのです。

そういうときは、独り言を書きとめましょう。たとえば、あなたを満足させてくれない恋人について書くなら、こんなふうになるかもしれません。

「彼はいい人だけど、私のことはわかっていない。私も彼のことを愛していると思いこんでいたけれど、そう思うあまり、ゆがんで見えていたこともあったのかも。彼は私が夢見ているような人じゃない。彼とほかの人とのことは、私の問題じゃなくって彼の問題。それを解決するのは彼だから、私はそのことを考えるより、自分のことをもっと考えなくちゃいけない」

恋人との関係から学んだことのリストを作るのもよいでしょう。これまで意識していなかった、その人の新しい面を発見できます。

要は、しっかりと自立することです。「自立宣言」というタイトルをつけたりストを作り、そこに自分が望むことと望まないことを正確に書いていくとよいでしょう。

恋愛「自立宣言」リスト

＊これまでに経験した恋愛
＊過去の恋人を愛した理由
＊別れた理由
＊解決していない問題の状況とジレンマ
＊経験の一つひとつから学んだこと
＊経験の一つひとつのポジティブな側面
＊守っている秘密と公然の秘密（自分に関することと他人に関すること）
＊自分自身の「自立宣言」の言葉

彼へのやりきれない苦しい気持ち

飛蛍あれといはむもひとりかな

——炭太祇（たんたいぎ）、江戸中期の俳人

仕事をしていて、ほかのことを考えているはずのときさえも、誰かのことが頭から離れないことがあります。その人に言いたいことや、その人としたいことを考えてしまうのです。そんなときには、リストでそれをはっきりと意識してしまえば、思考をコントロールすることができます。ひとたび思考を書きだすと、それ以上その人について考えずにすみ、別のことに集中できるようになるのです。その人に言いたい送らない「幻の手紙」をリスト形式で書くのもよいでしょう。その人に言いた

かったことをリストにすると、実際には言わなかったとしても、自分の気持ちを切り替えることができます。自分が望むことや望まないことがクリアになり、戸惑うことなく「ノー」と言えるようにもなるでしょう。

その人との関係で満足できなかったことや、やりきれない気持ちをリストにすることで、あなたは自分の価値を再発見し、行動することができるようになるはず。誰かに頼ったりしないことがなにより大切です。自分の力で手に入れられることだけを望むようにしましょう。

想いに囚われないためのリスト

＊自分の力で手に入れられるもの

＊自分以外の誰かに頼らないために、人生で変えられること
（対照リストにし、右側の欄には、そうするための方法を書きます）

＊他人のことで、自分には変えられないこと

＊他人に頼ってしまうこと

相手と別れると決めたら

あなたへの私の愛が
あなたの重荷になりませんように
私が自分から
あなたを愛することにしたのですから
——ラビンドラナート・タゴール、インドの詩人

たとえ自分の気持ちに正直でありたいとしても、自分を否定するような言葉を口にしてはいけません。

たとえば、「おびえている」「拒絶されている」「憎んでいる」「嫉妬している」

「孤独だ」などと言わないようにしてください。

他人に、あなたがそういう人物であると思わせてしまうような言葉、「見捨てられた」「裏切られた」「だまされた」「理解されない」なども、避けるべきです。自分の気持ちを伝えるためにこうした言葉を使うことは、ほかの誰かにあなたの気持ちを操作する機会を与えることなのです。自分の気持ちを自分でコントロールできずにいる人が幸せになるのは、不可能と言ってもいいでしょう。

どんな自分になりたいかを選択するのは、あなた自身です。あなたが感じたくない気持ちを、あなたに感じるように強いることができる人などいないのです。あなたには、なりたい自分を自分で選ぶという大きな自由があるのです。

もしも、被害を与えられた相手との関係を絶つと決めたなら、どんな小さなことも見逃さないでください。その人の気に入らないところといった不満を、すべて書きとめるのです。

そしてこのリストを身近に置き、何度も読み返しましょう。自分の決断に迷いを感じるたびに、読み返し、忘れていたことをつけ足してください。何度も読み返していると、自分がくだした決断を揺るぎないものとできるでしょう。その人と本当に別れたいなら、無意識にその人のことを考えているのに気づいたとき、すぐにリストをとりだすのです。不安や不満は、一度紙の上に吐きだしてしまうと、あなたを離れ、それ以上あなたに影響を与えることはありません。不満はすでに紙のなかに「閉じこめられた」のですから。

不安に耐えられなくなるのは、不安の対象がなにかわからないときなのです。なにかわからないから、吐きだすことができないのです。医者も病名がわからなければ治療が難しいのと同じ理屈です。

自分がなぜ苦しいのか、その理由を意識することができれば、置かれた状況も見えてきて、窮地を脱することができます。リストは一種のサバイバルメカニズムなのです。

恋人との関係を見つめるためのリスト

＊恋人に関してよく思うこと

＊恋人に関して恐れていること

＊恋人に関していらだっていること

＊恋人に関して抱いている不満

＊その人の好きなところと好きではないところ（対照リストにする）

＊その人との関係で、気に入らなかったところ

＊その人との関係で、かなえられなかった望み

＊その人との関係で、失ったこと

＊自分の長所なのに、恋人が評価してくれないところ

＊今の恋人との関係では得られそうもなくて、次の恋人との関係に望むこと

＊別れたあと恋人に再会することがあったら言いたいこと
（ここに書くことで言わずにすみ、厄介ごとを避けられます）

執着を断つ「妄想」プチリスト

書くことで、たいていのストレスを解消することができます。書くことは執着を断つための鍵です。ひとたびノートに書きだせば、ストレスの原因となった問題は、もうどうでもよくなってしまうのです。

こうして心の重荷を降ろせば、睡眠薬を飲むよりもずっとぐっすりと眠ることができます。ぜひ試してみてください。

10キロ減量して着るドレス。ひとりで楽しむ南の島。平静さをとり戻すために、「妄想」プチリストを作るのもいいでしょう。そうすることで本来の自分に立ち返ることができるのです。

うまく書きだせないときは、頭のなかが飽和してしまっていないか確かめてください。あふれる思いが押し寄せて、なにもかもから一度に解放されたいと求めている状態ではありませんか？

そんなときには、漠然と書こうとすると行き詰まってしまうのです。1枚の紙に、思いつく限りのことをリスト化すると、一つひとつの思いを「ピンでとめる」ことができ、自分をもっとも悩ませていることが明確になります。リストをつけていると、リラックスが集中力につながることもわかるでしょう。疲れたり行き詰まったりしたら、少し手を止め、リストを読み返しましょう。リストはあなたの気持ちを鎮める魔法の杖となるでしょう。

リラックスするために

- 体の内なる声に耳を傾ける
- ゆっくりと深呼吸する
- 瞑想する
- 自分の内にある静寂に意識を集中する

怒りやストレスに効く「魂の安らぎ」

- ホテルに1泊する
- タバコとお酒を買いに出かける
- マニキュアを塗る。または美容院に行く
- 片づけをして不要なものを捨てる
- 早歩きでウォーキングする
- 映画館に行く
- バラの香りのお風呂に入る

「ゴミ箱」行きのリスト

自分のために書いて、書いたら捨てるリストです。怒りからとっさにののしったり、別れを切りだしたりするような、とり返しのつかない状態に陥ることを避けられます。自分の気持ちを大切にしつつ怒りを乗り越えられる

と、自分が強くなったと感じられるのです。

＊自分の怒り（いつ、どこで、誰に対して、なにに対して）

＊怒っているときの体の状態

＊怒っているときの精神状態

＊今現在、自分を苦しめている人に会ったら言いたいこと

＊よく使うののしり言葉

＊お決まりの断り文句（本当のことでも作り話でも）

＊恨んでいる人

＊復讐の方法

自分の思考をコントロールする

人を愛するのをやめること、欲望を捨てること、死を恐れないこと。これまであなたは、こうした思考はコントロールできないものだと信じこまされてきたはずです。

しかしいったい、誰がそれを証明したのでしょうか?

思考はあなた自身のものであり、あなただけが操るべきものです。他人が干渉することではありません。思考の流れを自在にコントロールする術を覚えると、私たちは驚くほどの精神的自由を得ることができます。

ただ、実際のところ、思考は、ときに目に見えない怪物のように思えることがあります。私たちは日常生活で多くの思考を無意識に行っていて、ほとんどコントロールできていないのが現状なのです。

そんなことはないと思うかもしれません。しかし、本当の意味で自分の思考をコントロールするとは、常に意識的に決断し、思いとどまったり、考え直したりすることができるということなのです。

では、どのようにして自分の思考をコントロールすればよいのでしょうか。

なにより最初に、ふだん意識していない思考の存在を意識できるようにならなくてはいけません。しかし、これは思いのほか簡単ではありません。思考の存在を意識しようとすることがまた思考であり、私たちは思考を客観的に観察することの難しさを知ることになるのです。

思いきって、自分の思考をもののようにとらえてみてください。あたかもターミナルで発着する電車のように、思考を頭から出たり入ったりするものと見なすのです。ここでもリストの力を借りてみましょう。頭に浮かんだ思考を簡潔に書きとめてください。

「私は思考について考えている」

「飛行機の音が聞こえる」

「あの人は今なにをしているだろう?」

そんなふうに。自分が書きだしたリストを見てみると、わずかのあいだにいくつものことを考えているのがわかります。さらに、思考のリストを作っていると、無秩序に思考を続けることを、自然と避けるようになります。

そこでもう一歩進んでみましょう。リストに書きだした思考の一つひとつが、静かな水面に向けて投げた小石だと想像してください。次の思考を始めるのは、水面が穏やかになってからにするのです。

訓練を続けると、徐々に思考と次の思考のあいだに「無」のすき間を持つことができるようになります。このすき間は精神的なものですが、意識することができるものです。思考のあいだの静寂を感じとれるようになりましょう。

この訓練を続けると、徐々に、自分と周囲との関係を柔軟に考えることができるようになります。あなたの行動すべてが、今以上に意味を持ってくるのです。5分間、または10分間、自分の思考のリストを作るこうした訓練を、定期的に行いましょう。

L'ART DES LISTES

8

魔法のような リスト

幸せになる才能

幸福とは、幸せのふりをすることではなく、幸せでいることなのだ。
——ジュール・ルナール、作家

幸せなときは、本当の自分でいられます。ですから、幸せな瞬間は大切に蓄えておかなくてはいけません。

私たちは、なりたい姿を決めて、それを書きとめることで変われます。

書く内容はよく吟味しましょう。見たいこと、感じたいこと、考えたいこと、望ましいことだけを選び、そうでないものはくどくどと書かないでください。書くことで、あなたは自分の価値を築き、なりたい姿に近づけるのです。

読書、人間関係、人生の美学……、そうした経験から、もっとも魅力的な部分を選びとることで、あなたは自分だけの世界観を築き上げることができます。そして、幸せをつかむという類まれな才能を持った人物になるのです。

私たちは常に、自分の内にある無意識の思想家の影響を受けています。自分が共感できる、誰かの思考の引用や文を集めて、あなた独自のリストを作ってください。

こうしたものの考え方は、他人からとり入れたものであっても、次第に自分のものとなっていきます。その考え方が心の奥底にあることと一致しているため、自分のなかに根づくのです。

手放すということ

人生に挫折してしまうとはどういうことでしょうか？　それは、新しい日々よりも過ぎ去ったことを大切にし、これからの人生の可能性よりも現状維持と安定を望むことです。

もしあなたがこれからの人生を実りあるものとしたいならば、将来に向けた前向きな夢と表面的な見せかけの夢を見分けるために、自分の夢を曇りのない目で見つめ直さなくてはいけません。

はじめのうち、この作業は、かなりつらいものとなるかもしれません。人は、たとえ間違っていても、これまでの考え方を変えることに違和感を覚えるものだからです。いつか行き詰まるとわかっていても、今、楽なことを選びがちなのです。しかし、過去から解放されるためには、過去を振り返り、それに正面から全力で向き合わなくてはいけません。

自分が執着してきたものも同じです。宗教や信条などの精神的執着から、食べものやタバコなどに対する物質的執着、自分をとり巻く環境に対する執着まで、過去の執着のすべてを見直し、リストにして、手放すことを考えましょう。

手放すためのリスト

*自分が特に執着していること
*自分が手放さなければならないもの（野心、競争心、貪欲など）
*それらを手放す方法
*それらを手放すと失うもの
*それらを手放すと得られるもの
*今は手放せないと思うもの
*手放す心づもりができていること（手放す方法、結果、期待できるメリット）

苦しみが宝物に変わる瞬間

悲しみが心に深く刻み込まれれば刻み込まれるほど、
喜びを深く感じることができるのだ。

――ハリール・ジブラーン、詩人

困難に直面したとき、まずはそこから逃げないことから始めましょう。苦しみから逃れようとすると、ますます苦しみを意識することになるからです。

これまでに耐えてきたつらいことをすべて思いだし、それをリストにまとめることは、人生の知恵と経験が詰まった真の宝物を作るようなものです。

そうすることで、今あなたが直面している困難の意味にも気づくことができるはずです。

　このようなリストを作ると、人生の苦しみや過ち、忍耐、挑戦、経験を通して拾い集めた知恵をより自分のものとできます。リストを作ることで、苦しみや恐れに直面したときに立ち止まるための力と勇気、自信が得られるのです。

「この困難を乗り越えたのだから、これから起こることにも耐えられる」

と思えるはずです。

　勇気はあなたの内なる勝利であり、誰かと共有できるものではありません。けれども、勇気を持って立ち止まった行為は、周囲の人によい影響を与えることでしょう。

　リストを作る際には、とりわけその表現の質に気を配りましょう。質がゆたかであればあるほど、美しければ美しいほど、苦しみを昇華するのに役立ちます。そして、その苦しみを誇りにさえ思うことでしょう。

苦しみから学ぶためのリスト

*これまでに乗り越えた困難

*苦しみとそこから学んだこと（対照リスト）

*これまでにした勇気ある行為

*これからできる勇気ある行為

*苦しみを表現したり和らげたりする詩、言葉、景色、音楽など

ほんの少しのユーモアのセンスと想像力

伝説的な喜劇俳優チャーリー・チャップリンは、「人生で成功するために必要なのは、ほんの少しのユーモアのセンスと想像力である」と言っています。

笑うとは、とても大切なことなのです。笑えばリラックスでき、笑うことで病気が治ります。笑いは若さの証拠でもあります。

人は年をとればとるほど、笑いが減っていくことを知っていますか？　逆に、小さな子どもは、ほんのささいなことにもよく笑っているはずです。

笑うことは、ものごとを深刻に考えすぎないということです。インドのがんの治療センターには、患者と医者がただ単に笑うために集まるという笑いのセッションがあるそうです。もし世界中の人が笑っていたら、胃潰瘍どころか戦争や悲惨な事件はもっと少なかったことでしょう。

深刻になりすぎないようにしましょう。あなたは決して笑わない人と一緒に暮らしたいですか？

「笑い」のリスト

*笑うためのお話
*自分をいちばん笑わせてくれた映画
*自分をいちばん笑わせてくれたシチュエーション
*一緒にいて自分がいちばん笑うことができる人たち
*いいと思うユーモアに富む言動
*まわりの人を笑顔にするアイデア

対極となる感情

生が死の対極にあるのと同じく、幸運は不運の対極にある。
——シモーヌ・ド・ボーヴォワール、作家・哲学者

希望と絶望、喜びと悲しみ……。すべての感情には対極となるものがあります。うんざりするようなことには、すばらしいことが対極にあるはずなのです。「対極リスト」を作り、落ちこんだときに読み返すと、励ましになります。

大事なことを見失わないために、「今私は、なにを気に病んでいるのだろう?」と自問してみましょう。

著名な短編作家であるキャサリン・マンスフィールドは、自分の欲望を理解するために、内心で行った問答を日記に綴っています。それを要約すると、次のようなものです。

「さて、キャサリン、健康はあなたにとってなにを意味するのか?」

「答え。健康は私にとって、充実であり、生きている実感であり、私の愛する自然――すなわち大地、海、太陽に触れつつ生活する力」

「私は仕事をしたい。どんな仕事だろう?」

「自分の手と感情と頭脳を使って仕事をしたい」

「そのほかには?」

「小さな家、庭、芝生、動物、本、絵、音楽が欲しい。そして私は、こうして書くことを続けていたい」

対極リスト

*人生で好きなことベスト100、嫌いなことワースト100

*最高の旅行の思い出、最悪の旅行の記憶

*自分を好きな人と嫌いな人、自分が好きな人と嫌いな人

*今自分を楽しませていること、うんざりさせていること

夢や願望は強い力を持つ

人生はいつだって未完成から始まるのだ。
——ウラジミール・ジャンケレヴィッチ、哲学者

「朝、目が覚めたら、夢が現実になっていたらいいのに」と思ったことのない人がいるでしょうか？　もし、これまで自分があまりに現実的だったと思うなら、叶えたいあらゆる願望をリストにしてみてください。どんなことでも、始めるのに遅すぎるということはありません。今いる場所からさらに一歩前に進むためには、ときに、自分の殻を破り、未知なるものの実現に向けて踏みだす勇気が必要です。

このリストを作るときは、あれこれ考えこんだりしてはいけません。言葉やイメージが自然にわいてくるのを待ちましょう。あなたの夢は、あなたの隠されたさまざまな面を表しているはずです。

自転車で世界一周をする、中国の山奥で隠居する、マンハッタンのバーで働く、フランス・オーヴェルニュ地方の羊飼いの小屋を建て直す……。なにを書いてもかまいません。本当の自分を見いだし、また、これまでの人生の選択の理由を理解するために、常識外れな部分も合わせて、夢のリストを作る必要があるのです。

夢や願望は強い力を持ちます。それは夢にすぎないとしても、私たちの心が現実に表れたものであり、ときにはそれがもっとも強い力を生むのです。夢は私たちの重要な一部であり、それを書きとめることは、自分を見つめるために欠かせません。

未来を明るく前向きにとらえることができるのは、夢のおかげです。夢も見ず、望みも抱かなくなったら、死んだも同然なのです。

現実を変化させる言葉のエネルギー

言は肉となって、わたしたちの間に宿られた。
――『新約聖書』ヨハネによる福音書1章14節（新共同訳）

言葉が創造主であることを覚えておきましょう。言葉には、現実の人生を変化させる力があります。いつの時代にも、人は言葉で人生の道を選んできたのです。祈禱、呪文、祈り、指導者の言葉、マントラ（真言）……。あらゆるとき、あらゆる場所で、言霊の力が知られています。

夢を書きとめることで、たとえそれが不可能に思えるものでも、実現へとつなげることができます。夢見ていたことが本当に実現した経験をお持ちなら、思い起こしてみてください。

野球や水泳、サッカーなどのアスリートの小学校時代の作文には、将来の夢としてその偉業がすでに描かれていたということが、少なからずあります。それが書くことの魔法なのです。

ただ、魔法とはいえ、決して説明不可能なことではありません。書くことであいまいな考えが具体的なかたちをとり、現実世界に組み入れられるようになります。それによって潜在意識が高まり、望みに向けて行動するように突き動かされるのです。

以前、高級スポーツカーであるフェラーリが欲しいと夢見る青年と出会ったことがあります。不可能にも思えたその夢を、彼が言葉として書きだすと、夢は実現に向けて動きだしました。

あらゆる不用品を売り払い、まだ使えるようなものをあちこちから拾ってきてはフリーマーケットに持ちこみ、一円一銭を節約したのです。数年の歳月が流れたある日、私は、望みどおりのスポーツカーのハンドルを握っている彼を目にすることになったのです。

また、インカの都市遺跡マチュピチュを訪れたい、という願いを書きとめたとします。すると、それを思っていただけのときよりも、実現の可能性がずっと高まります。書くことで「夢」は計画へと変わり、計画が具体的になればなるほど、実現に近づくのです。

マチュピチュについての資料をまとめるファイルを用意し、旅行費用を問い合わせてみましょう。知らずしらず、その夢の実現をめざして、無駄遣いを避けるようになっているかもしれません。

願望リストを作り、日付と願望を記入して手元に置いておきます。矛盾点を気にする必要はありません。必要なのは、人知を超えた、はかりしれない神秘と奇跡を信じることだけです。

願望リストは、想像以上の力を秘めています。言葉はその一つひとつが大きなエネルギーを持っています。言葉は、夢の家をかたちづくるれんがやセメントのようなものなのです。

ひとたび紙の上に書きこむと、それは決心となり、実現へと動きだします。想いが明確であればあるほど、それがはっきりと描写されればされるほど、現実になる可能性はいっそう高まります。ですから、折に触れ、リストを見返してみましょう。

リストの魔法のような力は、物質的な夢に限ったことではありません。心に秘めた想いを書きとめることで、その実現へとつながります。それを強く信じ、そのための風習を持つ国もあります。

日本では、7番目の月の7番目の日（7月7日）の七夕祭りに、願いごとをしたためた短冊を笹に飾る風習があります。伝説では、この日は離れ離れになった織姫と彦星が、年に一度、再会するために天の川を渡るとされています。短冊には、恋愛から受験まで、あらゆる願いごとを書いてかまいません。

日本では、起こってほしくないことがあるなら、それが起こるかもしれないと考えてはならず、自分が心配していることさえ忘れてしまうべきだと言われています。

この考え方は正しいと思います。もし恋人に裏切られたくないなら、裏切られるかもしれないなんて決して想像してはいけません。彼があなたを裏切るのではないかと心配すると、実際裏切られてしまうのです。ですから、実現してほしいことだけを書きとめるのが正しい方法なのです。

リストは具体的には、

・いつかしたいこと
・いつかなりたい私
・いつか実現したいこと

などにそって、自分のなかからもっとも大切な願いを引きだすことからスタートします。

祈りの言葉が書かれた紙の護符（ミサで拝領する聖体のパンのとても薄いもの

に似ています）を授与しているお寺があります。自分の願いごとを一心に祈りながら、ある一定期間、毎日1枚飲みこむことで、願いごとが叶うと言われています。もちろん、それをペテンと思うか、神秘の力や強く願う力のなせるわざと思うかは、それぞれの自由です。

個人的には、自分の殻に閉じこもってあらゆる信仰を受け入れないよりも、神秘を信じるほうがいいと思っています。だって、神秘を信じたからといって失うものなんてないと思いませんか？

L'ART DES LISTES 9

人生の脚本家は私

幸せを実践する方法

私たちを照らす太陽、星々、海、たなびく雲、
たとえ数年しか生きなくても、あるいは百年生きたとしても、
それ以上に美しいものを目にすることはないでしょう。

――メナンドロス、ギリシャの喜劇詩人

「幸せ」という言葉は誰もが知っています。でも、自分の本当の幸せがなにかを知っている人がどれくらいいるでしょうか？

幸せは数値化して測定できるようなものではなく、ましてや物質的に満ち足りることではありません。私たちが本当に願うのは、自分にとってもっとも大切な

ものを追求し続けることと、自分が周囲とうまく調和していることではないでしょうか？　幸せはスピリチュアルな概念であり、目に見えるものではありません。あなた自身が定めていくことなのです。

人は、理想的な幸せをただやみくもに探し求めて生涯を費やしてしまったり、逆に世間がよいとするものを幸せと思いこみ、自分の本当の幸せを知らずに一生を終えたりすることがあります。

かつての清教徒は、自分たちが犯した道徳違反についてのリストを作っていました。また、アメリカの政治家、ベンジャミン・フランクリンは、節制、清潔、平静、謙譲など、自分が備えたいと思った「十三徳」のリストを作り、自分の達成度をチェックしていたことで知られています。

しかし、こうしたリストは自分を振り返るためのひとつのかたちにすぎず、幸せに至るために十分とは言えません。

これに対して、イギリスの日記作家、マリオン・ミルナーは、7年のあいだ、自分の望むもの、自分を幸せにしてくれるもののリストを作り続けました。彼女はこの方法で、自分自身の幸せとそれに至る方法を学んだのです。

幸せになるためには、「幸せを実践」し、自分が幸せであると感じられなければなりません。自らと幸せになる契約を結ぶのです。

リストを読み返し、幸せについて深く考え、欲望をコントロールする。悲しくても笑い、人生に不満を漏らさずに、幸せを得る方法について友人と語り合えるような生き方をしたいものです。

自分のことが嫌いで、不幸だと感じているときは、他人を好きになどなれないものです。自分を好きになるためには、幸せだった瞬間を思いだしてください。自分の「ささやかな楽しみ」リストを作り、読み返しましょう。

このリストは、私たちが無気力から抜けだし、よく考え、見失いがちな自分をとり戻し、自分の人生で進みたい方向を決めるためにあるのです。誰もが、自分のあこがれるものを手に入れたいはずです。

「ささやかな楽しみ」リスト

*自分が知っているもっとも幸せな人

*幸運にも、人生で出会えたすばらしい人

*自分が知っているもっとも勇敢な人

*立派だと思うお年寄りの習慣や所作

*自分の心のもっとも深いところで自分とつながるもの

*心の糧になるもの

*自分が体験した魔法のようなひととき

*自分の理想の環境（それを知ることで決断がくだしやすくなります）

「答え」より「問い」が大切

賢明さは請売で身につくものではない、誰も代わってやってくれない旅、誰もたすけてくれない道のりを歩いたのちに、自分自身で発見しなくてはならないものなのです、なぜなら賢明さとは物の見かたなんですからね。

——マルセル・プルースト（井上究一郎訳）

映画『マンハッタン』で、監督兼主役のウディ・アレンは生きがいのリストをテープレコーダーに吹きこんでいました。あなたも同じようなリストを作ったことがありますか？

私たちは自分の人生の脚本家であり、主役でもあります。リストを作るのは、自分の人生を充実させ、自分が人生の主役であることをしっかりと実感するためです。あとから振り返って書くだけではなく、ときには行動の前にも書いてみましょう。そうすることで、真の自分を発見することもあるのです。

自分の内面をとらえるための「問い」があることは、その答えを求めるよりも、ずっと大切なことです。

では、どんな問いを探したらいいのでしょうか。哲学書やスピリチュアルな本、宗教的な書物から得る問いが、瞑想したり自分を見つめ直したりするテーマとなります。それは、自分の先々を照らしてくれる灯台のようなものです。

「私たちは人生を傍観者として生きてはならない」と、博物学者であり探検家であるテオドール・モノは言いました。

日常生活をただ生きるだけでは人生の本質に近づくことはできません。よりよい人生を送るために、私たちには避けないで向き合わなければならない問いがあるのです。

人生の灯台を見つけるためのリスト

*自分が人生で演じているさまざまな役割
*自分がなりたい人物像
*自分の性格
*自分の倫理観
*過去の重要な出来事
*もっとも影響を受けた人
*先祖から受け継いだこと
*両親の長所
*自分が抱える道徳的ジレンマ
*人生で大切にしていること
*自分の生きがい
*社会でもっとも不公平だと思うこと
*当たり前のように享受している自由について振り返る

脳はイメージしたことを引き寄せる

人間にとって、存在を可能にし生成を可能にするには、勇気が必要なのである。もし自我が現実性を帯びるためには、自己の主張やコミットメントは不可欠なものである。これは人間と他の自然すべてとの間を区別するものである。どんぐりは、自動的な成長によって柏の木になる。それは、何らコミットメントを必要としない。仔猫が猫になるのも、本能に基づいてそうなる。自然と存在とは、そうした動物の場合には、同じことなのである。しかし、男ないし女は、当人の選択およびそれへのコミットメントによって初めて一人歩きの人間になるのである。人間は、日々行なう数々の決断によって、価値と尊厳に達する。

――ロロ・メイ（小野泰博訳）

心理学者、ロロ・メイの言葉が、私の人生を変えました。人生を変えるためには、変えるべき人生をイメージしなければなりません。

私たちは、旅先ですることのリストを作ることが、旅行を楽しむためにとても役に立つと知っています。では、人生という長い旅のためにも、その目的や夢、信念についてのリストや持ちもののリストを作ってみてはいかがでしょう。

未来は無限の可能性を秘めています。私たちは、したいこともできますし、よいと思う方向に進むこともできます。しかし、自分がなにを望んでいるのか、どのような人物になりたいのかを知らないで、それを実現することはできないのです。

目指す人物像に近づくために、達成すべき「小さな目標」リストを作るとよいでしょう。達成の障害は、じつはあなたが自ら心のなかに作りだしているのがわかります。

好きな人物や出来事のリストを作ってください。また、同じように、あなたが逃れたいことについてもリストにしてください。自分が望んでいることが明確にわかるはずです。

明確なリストを作れば作るほど、自分が求める姿に向かって成長することができます。私たちは自分で作ったイメージに向かって自然と成長するものだからです。完成形を知らずに1000ピースのジグソーパズルにとり組むことを想像してみてください。もし完成させられたとしても、相当骨が折れることでしょう。

自分がどうしたいかを知っている人は、ほかの人よりもずっと早く目的を達成することができます。自分がどこへ向かっているかを知っているからです。まずなににとりかかるべきか、どんなやり方がよいのか、わかっているのです。

私たちの脳は、しっかりとイメージできることを現実に引き寄せます。明確な目的と願望を持ち、はっきりとしたイメージにすることは、それを現実として引き寄せるための磁石のようなものなのです。

人生で前進するためになにができるか、毎日ノートに書きながら探していくと、自分の軸からぶれない選択ができ、まわりに対して貢献できることもわかってきます。

人生をイメージするためのリスト

*小さな目標（好きな人物、読みたい本、もっと聞きたい音楽、見たい芸術作品、訪ねたい国など）
*快かった出来事
*不快だった出来事
*極めたい趣味
*手放したいもの
*いつの日か住んでみたい場所
*5年後、10年後、20年後になっていたい自分の姿

「今」の奴隷にならない

この風変わりなカモメ、ジョナサン・リヴィングストンにとって重要なのは、食べることよりも飛ぶことそれ自体だったのだ。

何千年という年月だよ、そう、何万年という年月さ！ そしてさらに、この世には完全無欠といえるような至福の状態が存在するのだと知りはじめるまでに、さらに百年の歳月がかかり、そしてついにわれわれの生の目的がその完全なるものを見いだし、それを身をもって示すことだと考えつくまでには、さらにもう百年が必要だったんだ。

きみに必要なのは、毎日すこしずつ、自分が真の、無限なるフレッチャーであると発見しつづけることなのだ。そのフレッチャーがきみの教師だ。きみに必要なのは、その師の言葉を理解し、その命ずるところを行うことなのだ。

——リチャード・バック(五木寛之訳)

自分を見つめ、自分自身の奥底にあるものを明らかにすることが、真の生き方を模索するのに不可欠です。本来これは、自分自身で行う作業のはずです。

それがなぜ、今これほど多くの人が、「自分のために考える」ということを他人に任せてしまっているのでしょうか?

リスト作りをすることによって、人生で進むべき方向を決めることができるようになります。人生の目的を視覚化すると、自分はどういう人物なのか、どうしたいのか、そのためにはどうすればよいのかがわかります。

人生の意味について自問するリストが、私たちを導いてくれます。先に進むためには、きちんとした計画と強い決意が必要ですが、そのためにもまずはしっかりと人生の方針を定めなくてはいけません。

私たちは、過去の記憶や苦しみ、将来に対する不安の奴隷になるのと同じように、現在の奴隷になることもあります。

進むべき方針がなかったら、ふさぎこんでしまい、あらゆる目標や生きる気持ちを失ってしまうかもしれません。生きる気持ちを持つためには、自分のすることに意味があると思える気持ちが欠かせません。

ですから、モチベーションや幻想、夢、信仰が必要なのです。生きるとは、自らの意識に従って行動することです。私たちはいつも、心の奥底では、なにが正しくてなにが正しくないか、わかっているものなのです。

リストを作り、自分を見つめ、自分の信じるものを再確認し、人生の方針を定めましょう。

人生の方針を定めるためのリスト

*どんなことに自分は賛成できるのか?
*首尾一貫した生き方をするための具体的な方法は?
*社会の不平等に対して自分ができること
*自分は今までなんのために生きてきたのか?
*自分の人生にどんな意味を持たせたいのか?
*自分はどう変わることができるのか?
*人生に切望することはなにか?
*自分の可能性とはなにか?

本当の自分と神秘の世界

神秘を信じなくなったとき、人は死ぬのだ。
――アルベルト・アインシュタイン、理論物理学者

私たちはその人生のあいだに、ときに物理の常識を超えた出来事を経験することになります。誰もがこれまでに、信じられない偶然の一致（シンクロニシティ）や虫の知らせ、運命のいたずらを感じた記憶があることでしょう。これらの現象は極めて不可解なものですが、それもまた現実の一部であり、受け入れることが人生をゆたかにし、さらなる広がりをもたらしてくれるのです。

世界は必ずしも見えているとおりではなく、ヴェールの向こうには目に見えな

い真実が隠れていることを心の奥底ではわかっているのではないでしょうか。

「不思議の世界」リストの作り方

必ず日付を入れましょう。
周期的に起こることや出来事の因果関係に気づくかもしれません。

＊今までの人生で起きた不思議な現象
＊今までに起きた偶然や偶然の一致
＊今までにひらめいた直感
＊今までにあった虫の知らせ
＊今までに的中した易占法、タロット、占い師に言われたことなど
＊今までに起きた運命のいたずら（幸運、不運ともに）
＊今までに的中した予言

死を考え、有意義な人生を送る

千の計画も、万の計算も
炭火の上に舞い落ちる雪のひとひらにすぎない

――13世紀韓国の仏教詩

死――。それは現代社会でタブーとされる言葉です。しかし、死について考えない人はいないでしょう。死は誰にでも必ず訪れます。それを受け入れずに本当に幸せになることができるでしょうか?

私たちはなぜ、死というテーマをこれほど恐れるのでしょう?

それはこのテーマに答えがないからです。

自らの存在の意味を問うとき、もっともくり返されるのは死についての問いです。このテーマは問いかけることしかできません。死とは無限に続く問いのリストなのです。

死を強く意識してはじめて、人は有意義に生きることができます。死を考えることは、生きることの意味を考えることなのです。

人生には意味があるのかもしれませんし、そんなものはないのかもしれません。それは誰にもわからないのです。ですから、一人ひとりが自分なりの人生の意味を見つければよいのです。

死についての問いを続けると、必然的に自分を深く見つめることになり、自分の根底をなすものを意識するようになります。その結果、あなたが自らの軸をしっかりと定め、いきいきと過ごすと、それはまわりの人にもよい効果をもたらすのです。

死について考えるリスト

*死後になにを残したいのか？
*死ぬ前にしておきたいこと
*人生最後の日をどのように過ごしたいか？
*生まれ変わったらなりたい人物
*自分にとってすばらしい人生とは？
*ゆたかですばらしい老後を送るための計画
*これまでの人生で出会ったもっとも優れた先生や師匠、僧侶
*死後にはなにがあると思うか？
*来世に期待したいこと

大切な人の死に直面したときのためのリスト

*どのような喪失感に襲われたか
*その人に言いたかったこと

*その人が私に言いたかっただろうこと

*もし私が先に死んでいたら、その人にどう生きていってほしかったか

*大切な人がいなくなり、私がひとりになって見つけたこと、

ふたりで見つけたかったこと

世の中に貢献できること

行為こそがその思考をもっとも的確に代弁するのだ。

——ジョン・ロック、哲学者

自分の人生最後の日のことを想像してみてください。そして、それまでに成し遂げたこと、誇らしく思うこと、自分が幸せに思うことのリストを作ってみましょう。

車はそのリストにありますか？　テレビやステレオ、お給料はどうですか？　自分のリストを見て、幸せな人生に本当に必要なことにあらためて気づくかもしれません。

家族や友人との関係、他人の人生への貢献、正直に生きてきたか……。

私たちは、本当の成功とはなにかがわからないまま、成功の証を集めています。営利目的の宗教への崇拝や、ただ虚栄心を満たすことはやめて、宇宙の神秘に感嘆し、美を崇拝する心を持つべきなのです。

社会の矛盾をリストにしてください。そうすることで、お金の使い方が変わり、成功とはなにか、充実した人生とはなにかを自問するようになるでしょう。時間をとってリストを作り、どうしたらよい世の中になるか自分なりに考えてみてはいかがでしょうか？

ナチスによって強制収容所に送られたヴィクトール・フランクルは、「生きる意味」を大切にした精神科医です。

彼によれば、生きる意味とは、よい親でいること、よい息子でいること、よい配偶者でいること、よい友人でいることであり、自分にはなにが創造できるのかを考えることです。つまり、世の中に貢献する方法は数多くあるのです。

どんな貢献ができるか考えるためのリスト

＊環境に優しい暮らしのための具体的な方法
＊ものに振りまわされない生き方とは？
＊資源の無駄遣いを避けるために、自分にできること
＊稼いだお金をなにに使うべきか？
＊自分が買うべきでないものはなにか？

あとがき──日本の読者へのメッセージ

こうして本書を、日本のみなさんにお届けできることを、私は本当に幸せに思います。

日本という国とそこに住む人々、そして育まれてきたゆたかな文化が、今日まで私の、毎日をより幸せに生きようという思いを後押ししてきてくれました。私は日本を外からの目で見てきたために、その独創性や偉大さをより強く感じることができたのかもしれません。なにしろこの国に30年暮らしても、今なお日常のあらゆることに感動し、リストにせずにはいられないのですから。

日々の暮らしの何気ない美しさ、その繊細で緻密な心配りに、みなさんは気づくことなく生活しています。もちろん、生まれたときからその美しさに囲まれていたのでは、気づかないのも当然のことです。けれども、私が書いたものから、西洋人の私の目を通して、みなさんに日本を再発見していただきたいのです。生活美こそが日本人の心のゆたかさの源泉なのです。いかに文明が進もうとも、日本のみなさんがそれを忘れずにいることを切に願っています。

私にとって、リストはじつに「日本的」です。リストは、物質的にも心理的にも、軽やかで、なおかつ深みがある毎日のために、またストレスなく安心して生きるために、なくてはならない道具です。そしてそれは、まさに日本が私に教えてくれたことなのです。私は日本から多くを学びました。ですから、少しでも日本のみなさんにご恩返しができれば望外の幸せです。

本書がみなさんのお役に立つことを願っています。どうぞすばらしいリストを作ってください。

参考資料

本文中の引用文で、邦訳のある作品のうち訳文を引用させていただいたものの一覧です。また、本文中に翻訳者名を記しました。特に記載のないものについては、本書の訳者によるフランス語からの翻訳です。

『アナイス・ニンの日記』
アナイス・ニン著、原麗衣訳、筑摩書房

『はじめてのGTDストレスフリーの整理術』
デビッド・アレン著、田口元監訳、二見書房

『内面の日記 書簡 年譜 索引（ボードレール全集Ⅵ）』
シャルル・ボードレール著、阿部良雄訳、筑摩書房

『ある作家の日記（ヴァージニア・ウルフコレクション）』
ヴァージニア・ウルフ著、神谷美恵子訳、みすず書房

『シェイクスピア文庫〈7〉十二夜』
ウィリアム・シェイクスピア著、小田島雄志訳、白水社

『失われた時を求めて1第一篇スワン家のほうへ』
マルセル・プルースト著、井上究一郎訳、筑摩書房

『ロンサール詩集』
ピエール・ド・ロンサール著、高田勇訳、青土社

『失われた物語を求めて――キッチンテーブルの知恵』
レイチェル・ナオミ・リーメン著、藤本和子編訳、中央公論新社

『草の葉』(上)「ぼく自身の歌」
ウォルト・ホイットマン著、酒本雅之訳、岩波書店

『すべてがうまくいく「やすらぎ」の言葉』
ルイーズ・L・ヘイ著、水澤都加佐監訳、PHP研究所

『ずっとやりたかったことを、やりなさい。』
ジュリア・キャメロン著、菅靖彦訳、サンマーク出版

『新約聖書』
新共同訳、日本聖書協会

『失われた時を求めて3 第二篇 花咲く乙女たちのかげにII』
マルセル・プルースト著、井上究一郎訳、筑摩書房

『創造への勇気(ロロ・メイ著作集)』
ロロ・メイ著、小野泰博訳、誠信書房

『かもめのジョナサン』
リチャード・バック著、五木寛之訳、新潮社

ドミニック・ローホー―フランスに生まれる。ソルボンヌ大学で修士号を取得し、イギリスのソールズベリーグラマースクール、アメリカのミズーリ州立大学、日本の仏教系大学で教鞭をとる。アメリカと日本でヨガを学び、禅の修行や墨絵の習得などをとおし、日本の精神文化への理解を深めてきた。フランスはもとよりヨーロッパ各国やアジアでも著書がベストセラーに。『シンプルに生きる』（幻冬舎）、『「限りなく少なく」豊かに生きる』『屋根ひとつ　お茶一杯』（ともに講談社）ほか、日本でもその著作は大きな支持を得ている。

笹根由恵―フランス語通訳・翻訳家・通訳案内士。1975年、神戸に生まれる。企業勤務を経てフランスに留学後、オペラなどの歌劇からビジネス、各種スポーツの国際大会まで幅広い分野で通訳として従事。同時に、書籍、ビジネス文書などの翻訳業も行う。国土交通省認定通訳案内士。訳書に『シンプルに暮らす』（中経出版）、『シンプルに美しく生きる44のレッスン』（角川マガジンズ、ともにドミニック・ローホー著）がある。

講談社＋α文庫　ゆたかな人生が始まる
シンプルリスト

ドミニック・ローホー　笹根由恵（ささねよしえ）＝訳

2015年11月19日第1刷発行

発行者――鈴木 哲
発行所――株式会社 講談社
東京都文京区音羽2-12-21 〒112-8001
電話 編集(03)5395-3522
販売(03)5395-4415
業務(03)5395-3615
帯写真――渡辺充俊
デザイン――鈴木成一デザイン室
本文デザイン――アルビレオ
カバー印刷――凸版印刷株式会社
印刷――慶昌堂印刷株式会社
製本――株式会社国宝社
本文データ制作――講談社デジタル製作部

落丁本・乱丁本は購入書店名を明記のうえ、小社業務あてにお送りください。
送料は小社負担にてお取り替えします。
なお、この本の内容についてのお問い合わせは
第一事業局企画部「＋α文庫」あてにお願いいたします。
Printed in Japan ISBN978-4-06-281623-6
定価はカバーに表示してあります。

講談社+α文庫 ⓒ生活情報

カラダ革命ランニング マッスル補強運動と、正しい走り方
金 哲彦
健康やダイエットのためばかりじゃない。走りが軽く、楽しくなるランニング・メソッド!
648円 C 118-1

*年金・保険・相続・贈与・遺言 きほんの「キ」
岡本通武+「みんなの暮らしと税金」研究会
プロがわかりやすく答える、暮らしの不安!お金のモヤモヤを解決しておトクをゲット!
648円 C 119-1

*生涯、美しくて幸福な人になる! 顔2分・体5分! フェロモン・ダイエット
吉丸美枝子
自分の顔は変えられる! 顔はオードリー、体はモンローに変身して幸福になった秘訣!
648円 C 126-1

20歳若くなる! フェロモンボディのつくり方
吉丸美枝子
誰でも美乳・美尻に変身! 年齢を重ねるほどに美しくなる人のボディメイクの秘密
552円 C 126-2

*今夜も一杯! おつまみ手帖 有名料理家競演
講談社 編
有名料理家11名の簡単おつまみレシピが143! お酒がどんどんすすみそう!
667円 C 128-1

子育てはキレない、あせらない
汐見稔幸
文字や言葉を早く覚えさせるより子どもの豊かな育ちを見守りたい。子育てを楽しむ秘訣が満載
648円 C 129-1

女子力アップ 美人作法100
渡辺みどり
ほんのささいなことで、周囲と差をつける技術を皇室取材歴50年の著者が伝授。母娘必読
619円 C 131-1

奇跡の「きくち体操」
菊池和子
若さと健康を生涯守れるすごいメソッド「きくち体操」の考え方、厳選体操。すぐできる!
648円 C 132-1

「和のおけいこ」事始め 書道から仏像鑑賞まで35の手習い
森 荷葉
学びたい、そう思ったら始め時。気軽におけいこをしませんか? 入門のそのまた入門編
619円 C 134-1

ポケット版 庭師の知恵袋 プロが教える、人気の庭木手入れのコツ
日本造園組合連合会 編
初心者でもできる庭木の剪定と手入れのコツをプロの含蓄ある言葉とイラストで紹介
705円 C 135-1

*印は書き下ろし・オリジナル作品

表示価格はすべて本体価格(税別)です。本体価格は変更することがあります

講談社+α文庫 Ⓐ生き方

イギリス式 年収200万円でゆたかに暮らす　井形慶子
お金をかけず幸せに生きる！ 減収・物価高のイギリスで人々が実践する生活改善術満載　648円 A 94-4

イギリス式 月収20万円で愉しく暮らす　井形慶子
合理的でシンプルなイギリス人の暮らしに学べば、お金をかけずに幸せに生きる術がわかる　650円 A 94-5

「愛され脳」になれる魔法のレッスン　黒川伊保子
なぜか恋がかなう！ 彼を深層心理でトリコにする、脳科学的「絶対愛される女」の法則　630円 A 97-1

王子様に出会える「シンデレラ脳」の育て方　黒川伊保子
脳科学が明かす恋愛成就の〝7つの魔法〟と〝5つの約束ごと〟。次はあなたがシンデレラ！　700円 A 97-2

しあわせ脳練習帖　黒川伊保子＝監修 松苗あけみ＝絵
恋の魔法は容姿や性格のよさなんかではない。満足感が自噴する、しあわせ脳になること！　552円 A 97-3

いまを生きる言葉「森のイスキア」より　佐藤初女
心のこもった手料理と何気ないひと言で、多くの人が元気になった「イスキア」のすべて　760円 A 102-1

「いのち」を養う食　佐藤初女
「人間の元気の源はまず食べること」。92歳の著者が伝えたい、心が活きかえるヒント　590円 A 102-2

パンプルムース！ 森のイスキア 幸せな食卓のための50のメッセージ　江國香織＝文 いわさきちひろ＝絵
江國さんがちひろさんの絵を選んで、ひらがなの詩をつけました。美しく、いさぎよい本　590円 A 109-1

「寝る」姿勢で万病を治す！　福田千晶
無意識だった「寝る」姿勢を見直すことで、痛みや不調が解消！ 簡単健康法の決定版！　667円 A 110-1

*心も体もきれいになる！ その場で「あたため」ストレッチ　福田千晶
その場で、1分でできる簡単ストレッチで、冷えをすっきり解消して美人になろう！　533円 A 110-2

*印は書き下ろし・オリジナル作品

表示価格はすべて本体価格（税別）です。本体価格は変更することがあります

講談社+α文庫 Ⓐ生き方

こどもはおもしろい	河合隼雄	こどもが生き生き学びはじめる！ 親が子育てで直面する教育問題にやさしく答える本！	781円	A 122-10
ケルトを巡る旅 神話と伝説の地	河合隼雄	自然と共に生きたケルト文化の地を巡る旅。今、日本人がそこから学ぶこととは——？	710円	A 122-11
天才エジソンの秘密 失敗ばかりの子供を成功者にする母との7つのルール	ヘンリー幸田	エジソンの母、ナンシーの7つの教育法を学べば、誰でも天才になれる！	705円	A 123-1
チベットの生と死の書	ソギャル・リンポチェ 大迫正弘＝訳 三浦順子＝訳	チベット仏教が指し示す、生と死の意味とは？ 現代人を死の恐怖から解き放つ救済の書	1524円	A 124-1
身体知 カラダをちゃんと使うと幸せがやってくる	内田樹 三砂ちづる	現代社会をするどく捉える両著者が、価値観の変化にとらわれない普遍的な幸福を説く！	648円	A 125-1
抱きしめられたかったあなたへ	三砂ちづる	人とふれあい、温もりを感じるだけで不安は解消され救われる。現代女性に贈るエッセイ	733円	A 125-2
きものは、からだにとてもいい	三砂ちづる	快適で豊かな生活を送るために。「からだにやさしいきもの生活」で、からだが変わる！	648円	A 125-3
思い通りにならない恋を成就させる54のルール	ぐっどうぃる博士	「恋に悩む女」から「男を操れる女」に！ ネット恋愛相談から編み出された恋愛の極意	690円	A 127-1
僕の野球塾	工藤公康	頂点を極め、自由契約になってなお現役を目指すのはなぜか。親子で読みたい一流の思考	695円	A 128-1
開運するためならなんだってします！	辛酸なめ子	開運料理に開運眉、そして伊勢神宮。運気アップで幸せな人生が目の前に。究極の開運修業記	648円	A 129-1

＊印は書き下ろし・オリジナル作品

表示価格はすべて本体価格（税別）です。本体価格は変更することがあります